ポストヒューマン宣言

A POSTHUMAN MANIFESTO

SFの中の新しい人間

海老原 豊

POSTHUMAN

小鳥遊書房

目次

POSTHUMAN

＊註は、章ごとに通し番号で付してある。

まえがき——私たちはすでにポストヒューマンである

本書はポストヒューマンを軸にSF作品（小説／映画／マンガ）を読み解いていくSF評論である。

本書ではポストヒューマンを〈人間を生物学的な基盤をもつ存在とみなし、この生物学的な物質基盤にテクノロジーで働きかけ生まれた、従来の人間がもっていた制限を超えた人間以後の存在〉と定義した。簡単に言えばテクノロジーで人間の身体を改変し、人間以上の能力をもつようになった存在のことだ。

ポストヒューマンの萌芽は二〇二一年のこの社会にも見出せる。イーロン・マスクが投資するテクノロジー系ベンチャー企業ニューラリンクで、脳にチップを埋め込み手を使わずに直接コンピューターを操作する実験が行われているというニュースを聞いたことがないだろうか。あるいは、手足を失った人につける義肢に電極をつけ、体から発せられる電気信号を読み取り、義肢を本物の手足のように操ることに成功したという話もある。今日もどこかの研究所・実験室では、人間身体をテクノロジカルに改変していく試みが行われ、あるものは成功しニュースとなる。当然、失敗するものもたくさんある。

視覚的にわかりやすい身体への直接的な介入だけがポストヒューマンを生むのではない。たとえば、Amazonのリコメンデーション機能を見てみよう。自分と、その他ユーザーの膨大な購入履歴をマッチングし、自分が次に何を必要とするかリコメンドしてくるプログラムは、自分の欲望が外在化したものだと感じないだろうか。私たち以上に私たちの欲望を把握しているプログラムが、そこにある。ひょっとしたら私たちは今後、生まれてから死ぬまで、あるいは生まれる前からでさえ親に向けて、リコメンデーションを提示され、自分の欲望が内にあるのか外にあるのか混乱し続けるかもしれない。そもそも欲望なんて自分の内にはない。欲望とは他者のものだと開き直ることもできるが、今回はおいておく。

身近にあるテクノロジーの存在により、身体の境界や意識の形が変化し、今までできなかったことができ、感じなかったことが感じられるようになる。二十一世紀を生きる私たちは、確実に今までの人間とは存在様式が異なっている。そう感じたことはないだろうか。携帯電話／スマホが普及する前の人たちの生活が今ではまったく想像できないように、この変化は一方通行で不可逆的だ。実際には、世の中の半数以上の人は携帯電話／スマホ以前の生活を経験しているため、単にその生活を思い出せばよいだけなのだが、私たちはもはやそのような生活を思い出すことすらできなくなっている。

私たちは別の人間になっている。すくなくとも別の人間になりつつある。この別の人間を本書ではポストヒューマンと呼ぶ。

ポストヒューマンは、SFというジャンルで頻繁に取り上げられてきた。SFと聞くと、タイムマシンやエイリアン、人工知能やロボット（の反乱）を思い浮かべる人も多いだろう。もちろんこれらのテーマも好まれてきたし、これらのテーマを切り口にSFを論じた本もたくさんある。本書はポストヒューマンをSFの本質の一つと考え、そこから古今東西のSF作品を配置していった。そうすることで、今まで別々のテーマで別々に論じられていた作品が、ポストヒューマンという枠組みで包括的にとらえ直すことが可能となった。ポストヒューマン概念は人間をアップデートするだけではなく、SF評論を刷新する。

本書は通史ではない。本書を最初から最後まで読んだからといってSFの歴史に詳しくなるわけではない。むろん、必要に応じて、SFの定義（論争）や歴史の記述もするが、あくまで必要に応じてである。それよりも注力したのは、ポストヒューマンという概念でSF史を俯瞰し、これからの想像力＝創造力を考えることだ。ポストヒューマンというのは「人間以後の存在」、私たちの「あと」にくるヒューマンだ。しかし、作品を見れば見るほど、私たちはつねにすでにポストヒューマンなのではないかという確信は深まるばかりだ。ヒューマン以後のことであるが、私たちはすでに「その後」を生きている。現在と未来を誤読しながら。

本書は三部、十章構成になっている。各部・各章を概括しよう。

《第一部　他者との遭遇》は三章からなる。遭遇する他者とは端的にエイリアンだ。人間以後を考える近道は人間と人間以外＝エイリアンとの関わりをたどることにある。従来のポストヒューマンへのアプローチとは異なるかもしれないが、人間以外と人間以後を積極的に接続することで、ポストヒューマンの存在が浮かび上がる。

〈第一章　エイリアンとポストヒューマン〉ではリドリー・スコットが始めた映画《エイリアン》シリーズを取り上げる。造形や生態がショッキングなまでに暴力的かつ獰猛な「あのエイリアン」を知っている人も多いと思う。コミュニケーションもできず、人間に仇なすものとして殲滅するか、さもなくば人間（人類）が殲滅させられるかという生存闘争の相手と位置づけられるこのエイリアンだが、《エイリアン》シリーズを丹念に追っていくと、じつはポストヒューマンへの可能性を私たちに示していることがわかる。

続いて〈第二章　SFの想像力＝創造力――岩明均『寄生獣』と『七夕の国』のポストヒューマン〉は《エイリアン》同様、人間に寄生し侵略するタイプのエイリアンが登場する岩明均『寄生獣』を『七夕の国』とあわせて論じる。実写映画とTVアニメになり作品の質と人気の高さが証明された『寄生獣』であるが、この作品のエイリアンが寄生したヒューマンは、身体のみならず精神も変容する。ジャンルSFを私なりに定義しながら、『寄生獣』と『七夕の国』に見られるサイエンス（科学）とフィクション〈虚構〉の動的な関係、意味をめぐる闘争について検討する。

〈第三章『AKIRA』と『ナウシカ』から日本的ポストヒューマンへ〉は国民的／国際的な日本アニメである『AKIRA』と『風の谷のナウシカ』を扱う。ただしアニメ映画ではなく原作マンガを、ポストヒューマンという観点から議論する。この過程でポストヒューマン表象をめぐる不／可能性についてのパラドックスの存在が明らかになる。約四十年前の作品を取り上げることは、ポストヒューマン概念を歴史化することだ。歴史化しつつ同時に〈日本的ポストヒューマン〉について考えることでポストヒューマンの現代性をも照射する。

《第二部　機械化する自己》は四つの章からなる。ポストヒューマンを生みだすには精神／身体の二項対立において精神による身体へのテクノロジカルな介入が前提とされる。身体のもつ神秘性は即物的な物質主義により解体されなければならない。しかし、精神／身体の二項対立は見かけ以上に不安定なものだ。身体をハードウェアとするとソフトウェアたる精神は変容した身体からのフィードバックを受ける。とすると精神の振る舞いは必然的に再帰的なものになる。再帰性・自己言及性は、たとえばポストモダン小説では革新的な小説技法とされ、急速に変化する後期近代の社会を描出する手法とされた。SFにおいて再帰性・自己言及性は、いわばリアリズムだ。ある意味で社会はすでに変化しきっている。

〈第四章　グレッグ・イーガンとオウム真理教――超越性を超越できない人間の人間らしさについ

て〉では、精神と身体の関係を思考実験的に突き詰めたイーガンの短編「しあわせの理由」と「祈りの海」を扱う。それぞれ日本オリジナル短編集の表題作であり、代表的なイーガン短編だ。ハードSF作家イーガンは人間精神を物質の中に融解させる。物理的に精神が記述されるとき、その精神は何を記述するのか。SFが再帰性をリアリズムとして描出するとき、人間に意味を与える超越性はどうなるのか。宗教と科学の関わりを視野に検証する。

〈第五章　二十年後のマトリックス――サイバースペースは身体から精神を解き放つのか〉では、まずサイバーパンクの歴史をジェイムズ・ティプトリー・ジュニア「接続された女」、ウィリアム・ギブスン「冬のマーケット」から脱身体化をキーワードにたどる。西洋哲学の源流にある精神と身体を分け、身体は精神に従属し、可能ならば純粋な精神的存在になりたいとする野望は、SFによって露骨に表現されてきた。ただし脱身体化の野望は簡単に実現されない。脱身体化という概念を使って映画《マトリックス》三部作を論じていく。なぜ《マトリックス》は身体を脱した仮想現実空間で、カンフーをしなければならないのか。マトリックス内の夢から醒める必要はあったのか。マトリックス内／外に分裂した主体はどう統一されるのか、あるいは統一されるべきなのかを考える。

〈第六章　人工知能は人間の友か敵か、それともポストヒューマンか――SF映画のAI表象〉はAI論の論点整理から始める。学習するロボット『チャッピー』、コンピューター上に意識をアップロードし自己改善する科学者『トランセンデンス』、姿を見せず音声のみで人間を支援するアシスタント

AI『her』、いずれもAIがテーマの映画を取り上げる。コンピューターを媒介に人間知性と人工知能をフラットに並置する可能性が模索されている。人間の知性や意識がディスプレイ上に表示されたとき、それは人工知能とどう違うのか。人工知能は人間知性の延長なのか、理解不能な断絶の向こう側か。技術的特異点＝シンギュラリティという言葉が流行語にすらなる今、AIをポストヒューマンの一部としてとらえ直し、人間vsAIという当たり前に流布する対立図式を再構築することを目指す。

〈第七章　我ら人間、サイボーグ〉はサイボーグをポストヒューマンの一種とみなす。具体的に平井和正『サイボーグ・ブルース』、アン・マキャフリー『歌う船』を読むことでサイボーグSFでは〈サイボーグ化のまなざし〉が重要な働きをすることを確認する。その上で映画《ターミネーター》を扱う。自律型ロボットたちが人間に反乱をするというロボットに抱く古典的恐怖をヴィジュアル化することに成功した《ターミネーター》は、まごうことなきロボット映画である。どこにサイボーグがいるのかと不思議に思うかもしれない。〈サイボーグ化のまなざし〉という概念を使うことで、人間vsロボットという対立図式を崩していく。

《第三部　産む身体・殺す身体》は三つの章からなる。テクノロジカルな身体の変容は必然的に精神にも影響を与えるが、ここではとくに産む身体＝妊婦と殺す身体＝兵士に注目して、身体と精神の「継ぎ接ぎ」具合を検討していく。人間以後の存在は原理的には自分の好きな能力を強化できるのだが、産む／殺すという生命の両端にある活動に関わる能力が強化されることが多い。ポストヒューマンは妊婦と兵士を両親にもつ。その理論的背景に迫っていく。
〈第八章　ル・グィンとティプトリーの身体性〉は同時代に活躍しフェミニストSF作家として括られることもあるアーシュラ・K・ル・グィンとジェイムズ・ティプトリー・ジュニアの身体性の違いを掘り下げていく。『闇の左手』を含むル・グィンの宇宙〈ハイニッシュ・ユニバース〉で可能とされる超光速の情報伝達は、『たったひとつの冴えたやりかた』の世界であるティプトリーの宇宙〈スターリー・リフト〉では不可能であり、メッセージ・パイプという物体を宇宙空間でやりとりする。焦点となるのは情報の非／物質性だ。一見すると身体性とは関係がないように思えるが、『闇の左手』の他者理解や覆面作家ティプトリーの来歴を重ねることで、両者の身体性への理解とつなげる。
〈第九章　フェミニスト・ユートピアは〈どこに〉あるのか〉ではティプトリーとジョアンナ・ラスの短編から発想を得て〈男性（的なもの）の不在を欠如としない主に女性たちが運営する共同体〉をフェミニスト・ユートピアと定義し、その可能性を日本のSF小説を取り上げて検証した。松尾由美『バルーン・タウンの殺人』は人工子宮が普及し、女性性から妊娠・出産が取り除かれた世界で、あえて妊婦を選ぶ女性たちが出てくる。新型ウィルスのパンデミックのために女性の人口が極端に減った近未来の日本で、男性を性転換させ妊娠・出産を可能にし、さらに男性には徴兵ならぬ徴産が課せられるのが田中兆子『徴産制』である。男尊女卑を単純にひっくり返した女尊男卑の世界をカリカチュア的に描いた村田基『フェミニズムの帝国』は、しかし男性性についての陰惨な結論が導かれる。これと対照的に論じ得るのが、生物的に強い身体を得た女性たちが男性を捕食＝生殖する小野美由紀「ピュア」である。フェミニスト・ユートピアとは男女の権力構造をたんに転倒させたものなのか。構造を転倒させただけでは権力それ自体を解体することはできない。問題となるのは権力＝言語だ。松田青子『持続可能な魂の利用』は世界から「おじさん」が消滅した世界を創造する。この「おじさん」レス社会は極めて言語的・認識論的なものだ。「おじさん」に消費されてきた彼女たちがいかにしてこの世界＝言語を獲得したのか。新井素子『チグリスとユーフラテス』は星間移民に失敗した惑星ナインが舞台だ。原因不明の惑星規模の不妊の結果、最後の子供として歳をとるが成熟することを許されなかった少女＝老女が生きる世界はユートピアなのか。生殖をめぐるポストヒューマンSFは数多い。ポストヒューマンはフェミニスト・ユートピアの（不）可能性を照射する。

〈第十章　継ぎ接ぎの化け物——フランケンシュタインあるいは現代のポストヒューマン〉はメアリー・シェリーの『フランケンシュタイン』を現代SFの起源と位置づけることから始める。『フランケンシュタイン』は人間と人間の制御を離れたテクノロジーの対立がテーマであり、人間から疎外されたテクノロジー、あるいはテクノロジーから疎外された人間というのは確かにSFに頻繁に登場する。しかし伊藤計劃『虐殺器官』と『ハーモニー』をフランケンシュタインの怪物よろしく『フランケンシュタイン』という作品に「継ぎ接ぎ」すると、新しい構図が見えてくる。フランケンシュタインとはポストヒューマン的な継ぎ接ぎの怪物を生み出した科学者の名前であるにもかかわらず、ときに怪物の名前としても用いられる。これをジャンルへの無知から生じた単なる誤用と片づけるのではなく、ジャンルの本質が誘発する人間とテクノロジーの融合の結果なのだと再解釈する。

私は今まで個別の作家・作品について評論を書いてきた。その都度、SF評論家である私は「SFとは何か」「なぜその作品がSFなのか」を考え書いてきた。SFはジャンルであるが、思考法であり哲学でもある。SFとは何かを考えることと、あるSF作品を論じることは不可分である。さまざまな作家・作品を論じてきたが、改めて各論を見直してみると、そこには一本の背骨が通っていることに気がつく。それがポストヒューマンだ。ポストヒューマンを軸にSF論を組み立てたら新しいSF評論ができるのではないかというのが本書の根底にある。

SF史上重要とみなされているが、まとまった分析の対象になりにくいシリーズものの映画作品も取り上げた。今までの私の評論は小説とマンガが多かったが、ここでは映画について思う存分に論じている。とくに、物心つくかつかないかという頃から繰り返し見てきた《エイリアン》と《ターミネーター》について。これらのシリーズもの映画を含め論じている作品は、正統的なポストヒューマン論から見ると異色に思えるラインナップかもしれない。通読すればこれらの作品は間違いなくポストヒューマンを描いていると納得できるだろう。本書を手に取る読者が、ヒューマンとして読み始めポストヒューマンとして読み終わるという一つの変容体験となるように祈りつつ、まえがきを終えることにする。

POSTHUMAN

第一部　他者との遭遇

第一章　エイリアンとポストヒューマン

ポストヒューマンとは何か

本書のタイトルにもあるポストヒューマンとは何か。〈人間を生物学的な基盤をもつ存在とみなし、この生物学的な物質基盤にテクノロジーで働きかけ生まれた、従来の人間がもっていた制限を超えた人間以後の存在〉をポストヒューマンとここでは定義したい。

ポストヒューマンを考えるうえで重要なのは次の三点だ。まず①人間を二層構造、すなわち物質的な基盤に精神的な活動が合わさった存在ととらえること。さらに②物質的な基盤にテクノロジー的介入が可能であること。そして③物質的な基盤の変化は精神的活動に不可逆的な効果をもたらすこと。

ポストヒューマンに近いものでトランスヒューマンという言葉もある。三方行成は『トランスヒューマンガンマ線バースト童話集』（二〇一八年）という連作短編を書いているし、科学ノンフィクションではマーク・オコネル『トランスヒューマニズム――人間強化の欲望から不死の夢まで』（翻訳二〇一八年）というものもある。トランスヒューマンは英語では transhuman と書き、trans は「越えて」「別の状態に」という意味の接頭辞であるので、ここでは人間からポストヒューマンへの移行形態をトランスヒューマンと定義する。ポストヒューマンが可能であると信じ、ポストヒューマンを達成しようと行動すること。このようなポストヒューマン主義をポストヒューマニズムと呼びたい。ひとまずトランスヒューマンはこのポストヒューマニズムに内包される一概念であるとしておく。もちろん右記の本やその他の論考を読むと、トランスヒューマン∨ポストヒューマンとするものもあるが、細かい言葉の定義論争は本書の目的ではない。

この章では、具体的なSF作品を取り上げながらポストヒューマンとポストヒューマニズムについて考えていく。ただし最初に取り上げるのはリドリー・スコットが第一作を監督し、以降続編が制作されシリーズになった《エイリアン》だ。（以降、個別の作品名は『エイリアン』『エイリアン2』、シリーズは《エイリアン》、普通名詞としてのエイリアンはエイリアンと書き分けていく。）「ただし」と注意書きを加えたのは、「人間以後の存在であるポストヒューマンを考えるのに、どうして人間の対極にあるまったく異質な存在のエイリアンをフィーチャーした映画を論じるのか」と思う向きもいるだろうからだ。

そもそもalienという英語は名詞で使えば「外国人」「部外者」「宇宙人、エイリアン」「移植された植物」という意味をもつ（『ジーニアス英和辞典』より）。空港の入国審査でもalienという並び口はある。国内で見た異質な存在＝外国人、地球で見た異質な存在＝宇宙人（エイリアン）であり、異質なものとしてエイリアンはある。《エイリアン》のエイリアンネス（異質さ）をエイリアン（異星生命体）に限定せず、解釈の可能性を開いていく。そうしてこの異質さをたどっていくと、やがて私たちはポストヒューマンにたどり着くのだ。それでは実際に見ていこう。

エイリアンの創造――『エイリアン』

リドリー・スコット監督『エイリアン』（原題 *Alien*, 一九七九年、以降『1』と表記）は、宇宙を航行する巨大貨物船ノストロモ号が航路途中の惑星から信号を受け取り、コールド・スリープ(*1)中の乗組員が覚醒する場面から始まる。信号の発信地点は目的地ではないが、会社の命令で調べることになり着陸艇を飛ばす。地上に降りたクルーは、人間のものとは思えない巨大な宇宙船の廃船を見つけ内部を探索。地面に産み付けられた無数の卵を上からのぞきこんだとき、一人のクルーの顔面に謎の生命体が飛びつく（フェイスハガー）。エイリアンはカニのような長い足を顔面に巻きつけ、外すことはできない。

探査クルーはノストロモ号本船に収容され、外科手術でエイリアンの排除を試みる。しかしレーザーメスで足を切ると、強酸性の体液を放出し船体に穴が開いてしまう。なすすべなく様子を観察していると、いつの間にかエイリアンは顔から外れ、取り付かれていたクルーも何事もなかったように意識を取り戻す。

空腹を覚えたので食事を始め、それまでの緊張状態が和んだと思った瞬間、エイリアンに取り付かれていたクルーは暴れ始める。周囲のものに取り押さえられると、胸から甲高い鳴き声と共にエイリアンの幼生（チェストバスター）が誕生。それは茫然とするクルーの間を縫って、巨大な宇宙船のどこかへ消えてしまう。

異星生命体であり、人類が最初にコンタクトしたエイリアンである。とりあえずは捕獲を目指し、手製の武器を構えて船内を探索する。しかし、急速に成体に成長したエイリアンは一人また一人とクルーを殺し喰らっていく。

『1』は異質なものにあふれている。まず、不気味だが目が離せないエイリアンの造形。異質だからこそ惹かれるという逆説的な状況が生じる。エイリアンのユニークかつグロテスクなライフサイクル（エッグ→寄生→チェストバスター→成体）も人間にとって異質なものである。ただし、たとえば昆虫のそれといった、地球上の何かを連想させる。未知との遭遇は既知の拡張であり、他方で完全に未知なもの、究極的に異質な他者は存在し得るのかという哲学的な問いに接続される。暗く巨大な宇宙船内で武器らしい武器もなくエイリアンを追跡するというプロットは、エイリアンを極力見せないことで、エイリアンの存在感をこれ以上ないほどに印象づける。見てはいけないものを見たい、しかし見れないという葛藤。この葛藤はホラー映画ではおなじみのものである。ただし『1』はホラーでありながらSFであり、異質な異星生命体、有機的でありながら無機的であり、獰猛でありながら産卵・寄生をする「母性的」であるエイリアンを創造することで、異質さを複数化することに成功する。

異質さの一つはジェンダーだ。《エイリアン》は男と女にまつわる従来のジェンダー規範を異質なものに作りかえる。寄生されたノストロモ号の男性クルーが、もがき苦しみ腹からエイリアンを「出産」するシーンは衝撃的であり『1』といえばこのシーンを真っ先に思い浮かべる人もいるだろう。妊娠する男性については第九章で詳述するが、《エイリアン》が先駆的作品であることは間違いない。女はどうか。『1』から『4』には一貫して、シガニー・ウィーバーが出演し《エイリアン》シリーズは「彼女の映画」と形容できる。エイリアンにおびえ、ときにパニックになりながらも、どうしたら殲滅できるのか考え行動するリプリーは闘う女性だ。出産する男と戦う女を描く《エイリアン》は、エイリアン表象を通じ、既存のジェンダー概念を疎外する（alienate）ジェンダー・パニック映画なのだ。

もう一つの異質さは、非人間＝アンドロイドだ。《エイリアン》シリーズは、エイリアン＝地球外生命体の物語であると同時に、アンドロイドの物語でもある。《エイリアン》（六作品）にエイリアンが登場しない作品はないが、アンドロイドが出てこない作品もない。（なお作中ではロボットとも合成人間とも呼ばれるが本論ではアンドロイドと呼称する。）『1』には、ノストロモ号にエイリアンを調査させ、クルーを犠牲にしても生体を確保しろという会社の密命を遂行するアンドロイド・アッシュが登場する。彼は選択を迫られるとすべてエイリアンに有利になるように誘導する。感染の恐れがあるクルーは隔離するべきだと主張するリプリーを無視し、フェイスハガーに取り付かれたクルーを収容したのもアンドロイドであるし、誕生したばかりのチェストバスターを攻撃しようとしたクルーを制止したのも彼だ。リプリーは会社のミッションを知り、アンドロイドに詰め寄るが、アンドロイドは正体を見せて、リプリーを殺そうとする。水着女性のポスターが貼られた壁を背景に、筒状にまるめた成人雑誌を、抵抗するリプリーの口に突っ込もうとする。窒息死させようとする姿は、アンドロイドによるレイプとも解釈できる。(*2)

こうして『1』を振り返ってみると、異質さとはギーガーがデザインしたエイリアン(異星生命体)の表象のみにあてはまるものではない。人類vs異星生命体の戦いに回収されない、ジェンダーやヒューマニティー(人間性)を含む多様な異質さを含んでいることに気が付く。リプリー(女性)やアンドロイドもまた、エイリアンな存在である。第八章で論じる女性作家たちによるジェンダー/セクシュアリティの問題を前景化したフェミニストSFの諸作品は、七〇年代に多く発表された。一九七九年の映画『1』をこの系譜に連ねることは不自然ではない。

母性をめぐる女同士の戦い――『エイリアン2』

ジェイムズ・キャメロン監督『エイリアン2』(一九八六年)は、ホラー/スリラーとカテゴライズされる『1』とは打って変わって、ド派手なSFミリタリーアクション映画だ。原題*Aliens*が示している通り、登場するエイリアンは多数。さながら人類種とエイリアン種の全面戦争だ。『1』の最後、爆発する貨物船からコールド・スリープ状態で宇宙へと脱出したリプリーは、宇宙船にサルベージされる。そこは五十七年後の世界であり、ノストロモ号がエイリアンの宇宙船を発見した惑星に入植が行われていた。しかし、惑星移民たちからの連絡は途切れ、状況を調べるために宇宙海兵隊がスラコ号で送られることに。リプリーは同乗を頼まれる。植民施設には一人の女の子（ニュート）を除き誰もおらず、施設の奥深くにエイリアンは巣をつくり、卵を産み付けるために人間を捕まえに来る。重火器で武装したリプリーと宇宙海兵隊員たちは、エイリアンと激闘を繰り広げる。

アクション要素が満載だが、『2』で《エイリアン》のシリーズは一つの進化を遂げる。それはエイリアンエッグを産む巨大なエイリアン・クイーンを描いたことだ。物語のクライマックスは、ニュートを守るリプリーと、エイリアンの卵を守るクイーンによる女同士の母性をめぐる戦いになる。(*3) 惑星から脱出する直前、ニュートはエイリアンに捕まる。エイリアンはとらえた人間をすぐに殺さず、卵から孵化したフェイスハガーが取りつけるように、粘着質の体液で作った「繭」に閉じこめる。ニュートがまだ生きていることを確信しているリプリーは、単身、彼女を助けに行く。一緒にいた男性兵士（ヒックス伍長）はエイリアンの酸性体液により負傷。助けに行けるのはリプリーしかいない。

施設の最深部にはエイリアンの巣がある。そこでクイーンが腹部から伸びた長い管で次々に卵を産んでいた。リプリーの予想通りとらえられたニュートはまだ生きていて、間一髪で助ける。リプリーはクイーンの腹と卵に銃弾と爆弾をぶつけ、ニュートとともに退散する。エイリアン・クイーンは、産卵器官である腹部を胴体から切り離し、一匹の巨大なエイリアンとしてリプリーたちを追いかける。人間の母vsエイリアンの母の闘争は、母性を保ち続けたリプリーの勝利に終わる。コールド・スリープから目覚めたリプリーは実の娘がすでに死んでいることを知りショックをうける。『1』でのエイリアンとの遭遇により母性が奪われたリプリーは、植民惑星でニュートと出会うことで「母親らしさ」を取り戻す。ニュートがさらわれる前、宇宙海兵隊員が最初にエイリアンの集団から襲撃を受け、何名かの兵士も生きたままとらえられてしまった。助け出そうと提案する兵士に向かって、リプリーは生まれてくるエイリアンの宿主にされるため助けは無駄だと冷たく言い放つ。兵士とニュートは同じ状況であるにもかかわらず、リプリーはニュートだけを助け出そうとする。なぜか。ニュートが彼女にとっての「子供」となったからだ。

エイリアン・クイーンは腹部という産卵器官を手放す。クイーン（女）であることを放棄し一匹のエイリアンとして、狂暴で戦闘的な生き物として人間たちを殺しにかかる。しかし、これが彼女＝クイーンの敗因となる。

ビショップという名のアンドロイドの操縦で、惑星から軌道上の宇宙船へと脱出したリプリーたち。ハンガーデッキで一息ついた彼女たちを忍び込んでいたクイーンが襲う。腹部を引き裂かれ、口から白い体液を吹き出しながら上半身と下半身に文字通り真っ二つに切り裂かれたビショップ。叫びながら逃げ回るニュート。リプリーは作業用のパワーローダーでクイーンを宇宙へと放り出す。(*4)

パワーローダーは、リプリーの筋力を強化する。フェミニズムやマイノリティの当事者運動でキーワードとなる「エンパワーメント」(empowerment = em+power「力を与える」)を身体的＝筋力的に表象している。

物語の最後、リプリーは疑似的な家族を形成する。ニュートから「ママ」と呼ばれ、母性を承認された母リプリー。傷つき休む父ヒックス。娘ニュート。そして下半身を失うという象徴的な去勢を受け『1』のアッシュとは異なりソフトウェア的にもハードウェア的にも脅威ではないと認識された非人間的な存在＝アンドロイドのビショップ。『1』から『2』を見てみると、脅かされた女性性、奪われた母性を、テクノロジーによってエンパワーされたリプリー自身が取り戻しママ―パパ―娘の核家族を形成したのだといえる。

しかしシリーズは続き、物語はさらに輻輳していく。

「家族」としてのエイリアン――『エイリアン3』

デヴィッド・フィンチャー監督『エイリアン3』(一九九二年)はリプリーの体感時間では、『2』

の直後に位置づけられる。『エイリアン2』で植民惑星を脱出したリプリー。しかしスラコ号に入り込んでいたエイリアンにより火災が発生する。宇宙船は囚人惑星フューリーに不時着。リプリーは自分の体内にもエイリアンが、それもクイーンが寄生していることを知る。リプリーは囚人を組織し、エイリアンを溶鉱炉に誘い出す作戦を立てる。武器がまったくない環境で、自分たちを餌にし、エイリアンを目的地まで誘導する。惑星フューリーで修道士／パンクスのような服装をした囚人たちと一緒に、坊主頭でエイリアンと命がけの「追いかけっこ」をするリプリーはジョージ・ミラー監督『マッドマックス　怒りのデス・ロード』（原題 *Mad Max: Fury Road*）のフュリオサのプロトタイプにも見える。『3』でリプリーは自分をエイリアンの「家族」の一員と呼ぶ（I am part of the family.）。もちろんアンビバレントな感情をこめてだ。殺しても、逃げても、ずっとついてくる。自分の体内に巣食い、やがて食い破って出てくる。家族以外になんと呼べばよいのか。『2』で目覚めた五十七年後の世界で、リプリーは自分の娘が自分よりも先に死んでいたことを知る。『2』の最後で、失われた母性をクイーンとの死闘により疑似的に回復したが『3』の惑星不時着時に、ニュート、ヒックスは命を落とす。唯一、コミュニケーション可能なのは、ゴミ捨て場に打ち捨てられたアンドロイドのビショップだ。彼女は宇宙船にエイリアンが乗り込んでいたのではないかと不安になり、船内の様子を確認するためにビショップを再起動する。彼女の不安は的中し、船の火災はエイリアンによるものだった。恐怖も痛みも感じるビショップは、「辛いから切ってくれ」と自らの停止を懇願する。こうしてリプリーは疑似家族すら失う。

では惑星フューリーの囚人たちと新しい「家族」を作れないだろうか。リプリーは本人も囚人である刑務所の医師クレメンスと親密になる。肉体関係を持ち、彼女が彼を信頼したときに、クレメンスはエイリアンに殺される。のちに激しい腹部の痛みを訴えたリプリーは医療スキャンを受け、体内にエイリアンが宿っていることが判明するが、これはリプリーとクレメンスが「結ばれない」理由に十分であろう。すなわち、リプリーはすでにエイリアンと「結婚」していて、その子供、それもクイーンを宿しているのだ。重婚は認められない。どうやってエイリアンが体内に入り込んだのかと聞かれたリプリーは寝ている間に「レイプされた」と答える(＊5)。

『1』と『2』ではエイリアンとリプリーの関係は、対外的・対立的なものであった。ところが『3』をターニングポイントにして、リプリーとエイリアンの関係は変質する。『3』でひとたびリプリーの身体にエイリアンが侵入／寄生すると、両者の関係は対内的なものにならざるを得ない。

異質なものと人間的なものの融合――『エイリアン4』

ジャン・ピエール・ジュネ監督『エイリアン4』(一九九七年)は原題 *Alien: Resurrection* が示すとおりリプリーが復活するシーンから始まる。惑星フューリーに残されたクイーンを宿した状態のリプリーの血液から、クローン再生されたリプリー。八人目のクローンなので八号と呼ばれる彼女は、遺伝子レベルでエイリアンと融合している。たしかに『3』で血液を採取されているので、この発想は不可能ではない。血液から回収できる遺伝情報で、どこまで人体およびそこに寄生する異星生物を復元できるかは、テクノロジー次第だ。もしエイリアンが宿主の遺伝子に影響を与えていないのであれば、血液はどこまでいってもリプリーのものでしかない。しかし実際には、リプリーとエイリアンは遺伝子レベルで溶け合っているのだ。この『4』を生み出すために作られたとも思えるような多少強引な設定こそが、『4』を可能にしつつも『4』を《エイリアン》シリーズの中で異質なものにしている。もちろん、この異質さとは《エイリアン》シリーズの潜在能力でもある。(*6)

遺伝子レベルでのエイリアンと人間の融合によって《エイリアン》のテーマがさらに深化＝進化した。複製されたリプリーは酸性の血液を持ち、脅威の運動能力を備える。人間がエイリアンのようになったのだ。この融合は一方向ではない。リプリーから取り出されたクイーンも、人間的な性質・要素をもつ。具体的には子宮だ。クイーンは、最初こそエイリアンエッグを産み、フェイスハガー↓人間に寄生↓チェストバスター↓成体という「いつもの」手順でエイリアンを増やすが、やがて子宮を形成し、新しいエイリアン（ニューボーン）を宿す。このニューボーンは生まれた直後にクイーンを殺す。残虐性は変わりないのだが、ニューボーンはときどき人間かと思うような表情をする。脱出する小型宇宙船の中でニューボーンと対峙したリプリーは、苦痛に歪むニューボーンの姿に同情を禁じえない。リプリーもまたエイリアンとのハイブリッドであり、それはニューボーンがリプリーとのハイブリッドであるのとある意味で同じだから。一人と一体、あるいは二人は、完全な人間でもないし完全なエイリアンでもない。ヒューマン以後の存在、ポストヒューマンと呼ぶほかない。これはリプリーだけではない。ニューボーンもである。

『1』で圧倒的なまでに暴力的な異質の存在としてエイリアンは誕生＝登場したが、『2』『3』『4』とシリーズを重ねるにつれ人間／エイリアンの境界はぐらぐらとゆらぐ。やがて両者の境界は生物的・遺伝子レベルで融解する。エイリアンの凶暴さは、物理的なものだけではなく、象徴的な次元でも作用する。肉体を壊すだけではなく、ミクロに細胞の壁すら溶かしていく。考えてみればエイリアンは、有機物でありながら無機物的でもあった。暗く狭い宇宙船や惑星施設内で、金属のパイプや壁面に溶け込み背後から人間に襲いかかる。『1』でエイリアンは宇宙船内部と重ねて描写＝演出されている。『3』でもリプリーはエイリアンだと思ってパイプを力いっぱい金属棒で殴りつける。さらにエイリアンの生物的特性である強酸性の体液は、金属を溶かし、固体を液体・気体へと作りかえる。エイリアンの体表面や分泌液、巣や繭が液状・粘液質であるため、有機物と無機物のあいだをつなぐ存在としてエイリアンを再解釈できる。

『4』では冒頭、リプリーの身体からクイーンの幼生を外科的に物理的な切断をしたが、それはあくまで最初のことでしかない。体内から幼生を取り除いたあとも、リプリーには遺伝子レベルでエイリアンネス＝異質さが融合している。『4』が物語を進めながら示したのは、物理的に分離したはずの人間とエイリアンが、もっと深いところで結ばれているというものだ。

《エイリアン》に『5』はない。『4』のエンディングは、地球に降り立つリプリーと女性型アンドロイド・コールだ。人間ではない存在、ポストヒューマンが、人間の故郷である地球にたどり着く。『1』から『4』で地球が描かれたのはじつは『4』のエンディングだけだ。《エイリアン》は宇宙に出た人類がポストヒューマンになって帰還するまでと乱暴に要約できるかもしれない。だとしたら『5』ではなく前日譚として『プロメテウス』と『コヴェナント』が、それもリドリー・スコットの手により作られたのは理解できる。ヒューマンの旅路は終わった。次はエイリアンがどうしてあの惑星（『1』で着陸した惑星）に、たどり着いたかを明らかにする番なのだ。

エイリアンとアンドロイドと

《エイリアン》の異質さは、異星生命体としてのエイリアンだけではなく、女性（非男性）とアンドロイド（非人間）という二つの異質さも内包していると先に指摘した。そしてここまで、リプリーとエイリアンがシリーズを重ねるごとに接近し、最終的には遺伝子レベルでも混ざり合ったのを見てきた。ではもう一つの異質さ、アンドロイドはどうだろう。

『1』で会社の密命を受け、クルーを犠牲にしてまでエイリアンを捕獲・連れて帰ろうとしたのは男性型アンドロイドだった。『2』ではクルーの一員としてビショップというアンドロイドが帯同する。行きの宇宙船内で彼がアンドロイドであることに気が付いたリプリーは、強烈な拒否反応を示す。が、植民惑星でのエイリアンとの戦闘を通じ、ビショップが信頼できる仲間であると徐々に理解し、最後には体がちぎれた状態ではあるが（象徴的次元においては、だからこそ）仲間＝家族として受け入れる。『3』のビショップの扱いは、家族のそれというよりも、喋るコンピューターに近い。一つ付け加えなければならないのは、『3』の最後に会社からリプリーを説得するために現れた人間がビショップと瓜二つの男だということ。本人曰く、自分がビショップを設計した人間である、と。殴られたときに赤い血は出たが、彼もまたビショップ同様アンドロイドである可能性は最後まで否定されない。『4』は、宇宙海賊のクルーの一人、アナリー・コールがアンドロイドだ。それも女性型の。彼女は途中、腹部を銃で撃ち抜かれて死んだと思われたが、再登場し、そこでアンドロイドであることがクルーに明らかにされる。彼女は、エイリアンを生物兵器として利用しようとしている人間たちの企みに気が付き、それを防ごうという極めて利他的な動機で行動をしていた。リプリーと同様に人間ではないコールが、リプリーと一緒に人間のために行動する。「人間にしては優しい」とすら言われるコールは、すでに製造停止となり見かけることのなくなったアンドロイドの数少ない生き残りである。

　こうしてみると、前日譚二作がアンドロイドを中心に据え、人間vsエイリアンの関係に、アンドロイドとエンジニア（後述）を加えることで造物主／被造物の関係をあぶりだしていることも、あながちおかしなことではないとわかる。《エイリアン》はエイリアンの物語であり、アンドロイドの物語でもあるからだ。

クリエイショニズム――『プロメテウス』と『コヴェナント』

《エイリアン》には、フェイスハガーやチェストバスターといったエイリアン種のはかにもう一種、エイリアンがいる。彼らはエンジニアと呼ばれ『1』のノストロモ号が調査した宇宙船の持ち主である。『1』から『4』の前日譚として構想され、再び《エイリアン》の創造主たるリドリー・スコットが監督した『プロメテウス』（二〇一二年）と『エイリアン：コヴェナント』（二〇一七年）にはこのエンジニアが出てくる。「エンジニアという異星人が人間を創造したのでは」（They engineered us.）というクリエイショニズム（創造説）が、プロメテウス号の科学者たちの仮説である。造物主のエンジニアが、これまでのシリーズで登場したエイリアン（エンジニアと呼びわけるためにゼノモーフと呼ぶことにする）を生み出したのではないかと示される。

前日譚二作は、人間とエイリアンの関係よりも、エンジニアと人間、人間とアンドロイド（ロボット）の作る／作られる関係が前景化している。ゼノモーフは人間とまったく異なるものとして登場し、ホラー、ジェンダー・パニック、SFアクションといった意匠を変えながら、しかし人間との物理的距離（壁）を溶かし最終的にリプリーと身体的に融合した。

他方、人間は自らに似せたものとしてアンドロイドを作った。このアンドロイドたちは非人間という役割を持たされ続けた。『2』『3』のビショップ、『4』のコールは、人間よりも人間らしいともいえるが、普通の人間では間違いなく死ぬほどの傷を負い、それでも生きていることからアンドロイドであると正体がわかってしまう。

見かけは人間であるにもかかわらず、アンドロイドが本質的に持つ徹底的な異質さ＝非人間性は、『プロメテウス』『コヴェナント』に出てくるアンドロイドによって、克服または転倒が目指されている。人間とは異なり何かを生み出すことができないアンドロイドが、何かを生み出すことに成功したらアンドロイドは人間になれるのか。少なくとも人間に近づけるのか。神（エンジニア）が人間を創造した。『プロメテウス』でエンジニアの宇宙船で見つかったエンジニアの頭部はDNA分析で人間のDNAと完全に一致した。エンジニアが、人間をクリエイトしたことはほぼ間違いがないだろう。プロメテウス号のスポンサー企業であるウェイランド社の社長ウェイランドは自らに迫る死を克服するために、コールド・スリープから目覚めたエンジニアに創造の秘密を問う。エンジニアの答えは、ウェイランドを殺すことだった。

エンジニアが人間を創造したように、人間はアンドロイドを創造した。ウェイランドはアンドロイド・デヴィッドを生み出した。『コヴェナント』はプロメテウス号のデヴィッドの後継機種にして「人間らしくない」ウォルターがコヴェナント号に搭乗している。ウェイランドが作り出したデヴィッドは「人間過ぎる」ということで、プログラムを改められた。過剰とみなされたアンドロイドの人間らしさとは、創造という野望だ。神（エンジニア、人間）のようにアンドロイドは創造できるのか。創造できたとしてその創造物は何か。何かを創造できたら、アンドロイドは神／人間になれるのか。それとも、アンドロイドのままであるのか。

『プロメテウス』から『コヴェナント』を続けてみればゼノモーフの形態進化に驚くだろう。『プロメテウス』にはほとんどゼノモーフは出てこない。最後のほうに、少し登場するだけだ。そしてようやく登場したゼノモーフの造形は、私たちが《エイリアン》で目にする姿からかなり外れている。しかし『コヴェナント』になると、おなじみの卵とフェイスハガーがそろっている。これらはデヴィッドの試行錯誤のたまものだ。彼は手始めにプロメテウス号の生き残りであるショウ博士を、さらにはその惑星に居住していたエンジニアと土着生物を使い、エンジニアが創造した「生物兵器」の実験を繰り返した。アンプルに閉じ込められた粒子が体内に入ると、遺伝子レベルに融合を起こし、「創造的な変異」（デヴィッドの言葉）をみせる。この創造性（creativity）に魅入られたデヴィッドは、実験に使える人間を探し求めていた。ウォルターになりすましコヴェナント号に入り込んだデヴィッドが、二千体の眠れる入植者たちを用いて、さらなる実験をすることが示唆される。生き物としてのゼノモーフに賞賛の念を隠さないデヴィッドは『1』のアッシュの姿と重なる。

エンジニアの惑星で隠れ家を実験室とし標本を集め紙にスケッチをするデヴィッドの姿は、近代科学が勃興したころの科学者である。「素人動物学者」と自称するデヴィッドは、巨大なテクノロジーに頼ることなく／頼れず個人の努力と創意工夫でゼノモーフの「品種改良」を行う。コヴェナント号が巨大な実験室へと変貌して終わる物語がどう続き、『エイリアン』へ接続されるのかは、次回作を待つほかない。まだ、物語の輪は閉じていない。

《エイリアン》が長いシリーズの果てにたどり着こうとしているのは、ポストヒューマンである。遺伝子レベルでエイリアンとの融合を果たしたリプリー。非人間性を克服しようとするアンドロイド。人間から何かになろうとするものと、非人間から人間になろうとするものは、スペクトラムの両端から始まり、どこかで出会う。移行的な人間（transitional human）を経て最終的にたどり着くのはポストヒューマンだ。異質なもの＝エイリアンに注目することで、ポストヒューマンが分かる。人間以後の存在は人間以外の存在と通底する。ポストヒューマンを考える上で《エイリアン》の複数の異質さ、すなわち異星生命体であるエイリアン、ジェンダー・パニック、非人間的アンドロイドに注目したのは、自分ともっとも違うものこそ、自分ともっとも親密であるという逆説があるからだ。

【註】

（※1）作中ではハイパー・スリープと呼ばれている。いわゆる冷凍睡眠のことで、長距離を長時間かけて移動する宇宙飛行士が専用ポッド内で冬眠状態につくこと。

（※2）カーラ・フレチェロウ『映画でわかるカルチュラル・スタディーズ』（翻訳二〇〇一年）の六章「テクノカルチャーとポストモダニズム」C節に『エイリアン』『2』『3』論があり参照した。

（※3）フレチェロウ前掲書。

（※4）パワーローダーは、ロボット未満サイボーグ以上のガジェットとしてSF映画のパワードスーツの一つの典型となる。ロバート・A・ハインライン『宇宙の戦士』に出てくるパワードスーツは『機動戦士ガンダム』のモビルスーツの元ネタの一つともいわれ、映画のCG技術が洗練されてくると、トム・クルーズ主演『オール・ユー・ニード・イズ・キル』（ダグ・リーマン監督）の外骨格を強調したパワードスーツのようなシンプルだが頑丈かつ多機能のものにもなる。

（※5）残念ながら『3』には脚本の破綻が見られ、どのような経緯でクイーンがリプリーの体内に自分の幼生を寄生させたのかは不明である。犬（完全版では牛）に寄生して囚人たちを襲うエイリアンを産み付けたフェイスハガーと、リプリーに寄生して体内にクイーン（の幼生）を産み付けたフェイスハガーと二匹のエイリアンが船内にいなければならない。またクイーンがどのようにクイーンを産むのかは、明示されていない。ただ、『2』でリプリーvsクイーンの死闘が描かれたことで、リプリーがクイーンと比喩的＝表象的に連続したものとされ、この連続性を『3』そして『4』が深めたといえる。

（※6）琥珀に閉じ込められた蚊の化石から血液を抽出し、取り出した恐竜のDNAで恐竜を復元した『ジュラシック・パーク』（スティーヴン・スピルバーグ監督）のSFアイディアを連想させる。

第二章　ＳＦの想像力＝創造力

――岩明均『寄生獣』と『七夕の国』のポストヒューマン

ポスト人文学のライティングに向けて

非人間であるエイリアンを通じて人間以後の存在、ポストヒューマンにたどり着いたのが前章であった。注目したのはエイリアンという概念＝言葉の多義性だ。エイリアンとは単に異星生命体を意味するだけではなく、広く異質なものを意味し、ジェンダーやヒューマニティ（人間性）を攪乱し、ポストヒューマンを胚胎するのだ。本章でも引き続きＳＦのエイリアン表象を検討する。取り上げるのは岩明均の二作の漫画、『寄生獣』（連載一九八八年―九五年）と『七夕の国』（連載一九九六―九九年）だ。さらに作品分析と並行して、ＳＦというジャンルについても考えていく。

ポストヒューマンが登場する作品はＳＦであり、ＳＦのジャンル論など不要と思われるかもしれないが、ＳＦこそがもっともポストヒューマンについて考え、だからこそＳＦは極めて人間的／人文的（ヒューマニティーズ）な文学ジャンルだといえる。「人間が描けていない」というのは長らく主流文学からサブジャンルへの批判のクリシェであったが、人文学が占有してきた人間概念は、もはやオープンソースとなり境界も領域もなく描かれ・語られる。ダナ・ハラウェイがサイボーグの特徴の一つとして挙げた「境界侵犯」はたとえば身体やその働きの一つである免疫系について述べたものであるが、比喩的に拡張しうる。免疫の混乱という境界侵犯を描くライティングそのものが人文学の境界侵犯でもある。SFの表象の特徴であると同時に、ジャンルとしてのSFの特徴でもある。

主流文学から「人間が描かれていない」とSFが批判された一方で、SF内でも「これはSFではない」論争が定期的に起こる。SFファンが考える「SFらしさ」と、世の中でSFと認められたものやSFとして高い評価を得たものが一致していないと起こることが多い。(*1) 人文学が「真の人間像」を一方的に定義・占有したように、SFもまたその一部に「真のSF像」を定義・占有したいという欲望があったのだろう。

スマホにAI、シンギュラリティという言葉さえ人口に膾炙した二〇二一年では、SF概念も薄く広く層として社会を覆っており、以前ほど論争は起こっていないかもしれない。確かにここ最近「これはSFだ」「いやこれはSFではない」という言い争いも、あまり目にしていない。これは「私たちと私たちの生きる世界はSF的である」と、なんとなくのコンセンサスができつつあるからではないか。「これはSFではない」論争は、もちろん「これがSFだ」という評価と表裏一体になっている。そこで開陳されるSFの定義がぶれていたり曖昧であったりすると、論争は不毛なままでくすぶり、燃料が不完全燃焼した炭になってようやく終了する。

ゆえに、本章では「SFとは何か」というジャンルの本質論をしながら、作品の分析をしていく。最初に断っておくとSFの定義はとても難しい。このテーマだけで分厚い本が一冊書けるほどだ。そしてSFの定義を一つの簡潔な言葉へと収束させることも不可能だ。「真のSF像」を一方的に定義し占有しようとも思わない。それに当てはまらないものをSFではないと弾きだすこともしない。ここでは、SFの本質の一つを抽出し、照らし合わせながら『寄生獣』と『七夕の国』を読んでいくにとどめる。

サイエンスとフィクションのあいだ

SFはUFOと同じ頭文字語である。UFOはUnidentified Flying Object（未確認飛行物体）であるが、ではSFは何の単語の頭文字を取ったものか。
Sukoshi Fushigi（すこしふしぎ）だといったのは藤子・F・不二雄であった。偉大な作家のユーモアに敬意を払いつつ、正式にはSFとはScience Fiction（科学小説）だと確認しておく。SF＝サイエンス・フィクション。一見するとわかったように思えるが、しかしよく考えれば考えるほど、わからなくなる。というのも、小説の中に科学が出てくればよいのか、それとも小説が科学を主題化しなければならないのか、あるいは小説そのものが科学的でなければいけないのか、サイエンスとフィクションをつなぐ「・」には、複数の意味が入り込む余地がある。

文学史的な註釈を急いで加えるならば、サイエンス・フィクションの名づけ親とされる人はいる。ルクセンブルク出身のアメリカ人発明家ヒューゴー・ガーンズバックだ。彼は科学雑誌を編集するかたわら、SF専門誌を創刊した。そこに掲載された空想の発明品を駆使した物語を scientifiction と呼んだ。この呼称がのちにもっと言いやすい science fiction となる。ガーンズバック自身もSFを書き、代表作は『ラルフ124C41+』（一九一一年）だ。限られた天才にしか与えられない「+」の称号をもつ科学者ラルフが、最新発明を駆使して、宇宙人と戦い恋人を守るというロマンスである。幕を開けたばかりの二十世紀は科学と発明の時代であり、科学者こそが時代を生きるヒーローなのだとガーンズバックは考えた。

それから百年。私たちは科学と科学が可能にしたテクノロジーが、人類と地球にもたらした恩恵と破壊を見てきた。恩恵と破壊、どちらが多いのだろうと疑問に思う。ガーンズバックのように科学者をヒーローとして無邪気に礼賛できないし、そもそも科学は巨大になりすぎて、個人レベルの発明ではなく、国家的組織が不可欠なテクノロジーが私たちと科学の接点となっている。サイエンス・フィクションの意味づけが、ガーンズバックの時代から変わるのも当然だ。

サイエンス・フィクションのサイエンスとフィクションの関係は、マルクス経済学における下部構造（経済関係）と上部構造（イデオロギー）に類比的だ。サイエンスは、経済関係と同じく私たちの生きる社会の根底を支える。ありとあらゆるところにサイエンスの知見は応用され、私たちはサイエンスなしでは生きていけない。サイエンスの上に私たちの生はある。サイエンスは世界の原理を説き明かし、その原理を応用して新しいものを生み出す。とても便利だ。

しかし、万能に思えるサイエンスにも死角はある。サイエンスは「なぜ」という問いに答えられない。科学は「なぜ」に答えるように進歩してきたのではないか、という反論はあるだろう。確かに一面においてはこの反論は正しい。「なぜリンゴは落下するのに、空に浮かんでいる月は落ちてこないのか」「なぜ親の形質は子に遺伝するのか」など、科学者を突き動かした「なぜ」という問いはいくつもある。だが、科学は原理的に「なぜ」に答えることができない。科学が示せるのは「どのように」でしかない。万有引力の法則を発見しても、「なぜ万有引力の法則があるのか」とさらに「なぜ」を重ねることはできるし、万有引力の背後にあるさらなる原理Xを発見しても「なぜ原理Xはあるのか」と問うことはできる。どのように物体同士で力を及ぼしあうのかその運動を計算式で提示することはできても「なぜ」には答えられない。「どのように」は機能であり「なぜ」は意味だからだ。機能と意味はレイヤーが異なる。現代の科学者とは異なり、近代以前の科学者は宗教者でもあった。彼らは機能と意味のレイヤーを重ねたところに立っていた。科学が近代化され背景にある宗教から離れ独立していくと、意味のレイヤーである「なぜ」は科学では満たせなくなった。なお、科学と科学者の歴史については第十章で論じる。

　サイエンスでは答えられない意味の空白を満たすのがフィクションだ。フィクションを狭義の小説ではなく、広く虚構ととらえると、私たちは「人生の意味」、「戦う理由」あるいは「正義とは何か」という意味にまつわる問いを、フィクションを通じ充填していることに気がつく。サイエンス・フィクションとは、科学文明社会（下部構造）の上で生きる私たちの生に意味を満たす虚構（上部構造）なのだ。マルクスは、下部構造は上部構造を規定するとした。私たちの生は、科学文明によって大きく影響を受ける。ただし下部から上部への一方通行ではない。上部構造からのフィードバックを受けて下部構造も変化を被る。サイエンスの上に立ちフィクションを通して意味を経験した私たちは、今度はサイエンスに働きかける。

　右記のＳＦ、マルクス、疑問詞を表にまとめると下のようになる。

　マルクス主義および科学と物語の意味を踏まえて、ＳＦの本質（の一つ）を定義すると次のようになる。

〈サイエンス・フィクションとは、社会の基盤である科学が可能とする私たちの生に、科学では与えられない意味を与える物語である。ただし、科学は所与のものとしてあるのではなく、私たちの働きかけによって機能している。〉

SF	マルクス	疑問詞
虚構（フィクション）	上部構造（イデオロギー）	なぜ?（意味）
科学（サイエンス）	下部構造（経済）	どのように?（機能）

人間から科学へ、科学から人間への不断のフィードバック・ループから生み出される物語がＳＦなのだ。

意味を問いかけるＳＦ――『寄生獣』

動的なＳＦの定義を示したところで、具体的に作品を見ていきたい。まず取り上げるのは岩明均の『寄生獣』だ。一九八八年から一九九五年にかけて連載され、アニメは二〇一四年から二〇一五年、実写の劇場版二作も同じく二〇一四年、二〇一五年に公開された。

『寄生獣』は寄生型エイリアンが人間に取り付き、人間社会に潜みながら、人間たちを食べるために殺すという作品だ。寄生された人間は、外見からは普通の人間とは区別がつかないが、攻撃をしかけるときに自由自在に体の一部を変形させる。あるときは切り刻むための凶器に、あるときは食べるための口に変化して初めて、その人間が人間ではないこと、エイリアンであることが明らかになる。人間に擬態し、攻撃の際に変化をするエイリアンといえば、ジョン・カーペンター監督『遊星からの物体Ｘ』（一九八二年）が有名であるが、(*2) 本作もその系譜にある。

しかしこの寄生生物たちは物体Ｘとは異なり、非常に思索的なのだ。寄生生物は人間に取り付き、脳を支配する。主人公・泉新一に寄生しようとした寄生生物は、脳を支配しそこね不完全な形で寄生することになる。人間を完全に支配しきれず、新一は新一のまま自我を保ち、右手に居座った寄生生物は新一によってミギーと名づけられ、人間とエイリアンの奇妙な共生生活が始まる。ミギーは猛烈な勢いで人間とその文化・歴史を学習し、すぐに言葉も使えるようになる。新一とミギーは、人間をのっとった寄生生物たちと戦うことになる。ミギーは本来的には寄生生物側の存在であるが、宿主たる新一が死んでしまっては自分も生きていられないので、人間側として寄生生物に対峙せざるを得ない。

失敗したミギーとは異なり、人間個体をコントロールすることに成功した寄生生物たちは、集まり話し合い、ときに思索をする。SFの二層レイヤーにおいて「なぜ」という意味を問いかける代表的な登場人物は田宮良子だ。寄生生物にも個体差＝個性はあり、彼女は高い知能を持ち好奇心が強い。彼女はことあるごとに問いかける。

わたしの疑問は一つ［…］寄生生物《わたしたち》の存在する意味よ／いったい何のために……（三巻、九五）

寄生生物が操る人間同士でセックスし、子供が生まれてもその子は普通の人間である。寄生生物は繁殖することができない。その事実に気がついた田宮良子は、自分たちがこの世界に存在している意味を突き詰める。

知的好奇心に満ちた彼女と、人間を食料とだけ考え「〝この「種」を食い殺せ〟」（一巻、一三八）という本能ともいえる「命令」に従って行動する他の寄生生物とのあいだにやがて軋轢が生じる。田宮良子を危険分子と判断し襲ってきた三体の寄生生物を倒したあと、彼女はこう言う。「自分はどこからきてどこへ行くのか……なあんて／人間ぽく考えたことある？」（六巻、一二四）

田宮良子は自分が存在する意味を問いかけた。彼女だけではなく、他にも意味を問いかけるものたちはいる。まず、人間たちだ。人間より身体能力が高く人間を捕食する寄生生物が登場したことで、人間たちは「なぜ人間は他の生物を食べるのか」と考え始める。もちろん人間は生きていくために外部からエネルギーを摂取しなければならない。ただしエネルギー摂取の必要性は、サイエンスで答えられる機能のレイヤー「どのように」の問題でしかない。特定の栄養素を口から摂取し、消化器官で消化・吸収、血液中で特定の物質と結合し、必要とされている場所まで運ばれる。サイエンスが教えてくれるのはそこまでだ。摂取するものが牛や豚、鶏といったその他の動物である必然性についてサイエンスは答えを出せない。エネルギーであれば何でも良いことは、特定の家畜を殺して食べることのエクスキューズにはならない。

完全菜食主義のビーガニズムは、主張の根拠に自然環境保護とアニマルライツ（動物の権利）をもってくる。とくにアニマルライツに拠るビーガニズムは「動物を食べるために殺すのは残酷である」というロジックを持ち出す。これは倫理的な発想であり、意味をめぐる問いかけである。これに対し、

「ビーガニズムでは人間が生きていくうえで必要な栄養は十分でない」という「科学的」な反論をしても議論はかみ合わない。生物としての人間、つまり物質として人間の身体を維持するのには何が必要かという問題設定そのものが、ビーガンの主張の前提である「人間も動物の命も等しく命である」と異なる層に位置しているからだ。これはサイエンスとフィクションの分裂が現実に可視化される一例である。

寄生生物の一部は組織化し「食堂」と彼らが呼ぶ場所でのみ人間を捕食する。寄生生物の「食事」の様子は、人間が家畜を「食べる」様子とはあまりにもかけ離れているが、しかし外部からのエネルギーの摂取という本質からは同じだ。ミギーは、新一に取り付いてそうこう言い放つ。

『悪魔』というのを本で調べたが……いちばんそれに近い生物は　やはり人間だと思うぞ……／人間はあらゆる種類の生物を殺し食っているが　わたしの『仲間』たちが食うのは　ほんの1〜2種類だ……質素なものさ（一巻、九〇）

ある寄生生物は「ミンチ殺人」を報じた新聞記事を目にし、こう思う。「フン……牛やブタを平気でひき肉にしている人間どもが今さら何を驚いている……」（一巻、九二）。かくして人間が家畜を食べる本質的な理由がわからないことが露呈される。人間が「当たり前」と思い思考停止になっているのは「人間が他の動物を食べるのは普通のこと」というフィクションの効果であり、そこに別種のフィクションをぶつけると、途端にベールの向こうの現実に直面する。

先ほどの、ビーガニズムについての論争にもどろう。

ビーガンは倫理的主張＝意味の問いかけをし、それに反発を覚えるものは物質的身体の要求＝機能（科学）の応答をするので議論がかみ合わないといった。しかし、この意味と機能の対立は、本当なのだろうか。「動物の命も大事に」と主張するビーガンに直面したときの、私を含む肉食主義者の「居心地の悪さ」は、自分たちが拠り所にする「科学的根拠」が「意味」に汚染されていることを率直に認めたくないからではないか。現在、食べている動物よりも、効率的に科学的な栄養素を満たすことができる何かがあったとしたら、今の肉食から「それ」を中心とした食事へと移ることはできるのだろうか。科学的な根拠でビーガニズムを退けるならば、「より科学的な」食生活が可能になったときに、それを受け入れないとしたらダブルスタンダードである。この「何か」がたとえば昆虫だったらどうだろう。冗談ではなく、未来の肉食は昆虫食になるかもという議論はずっとされている。現実はもうSFなのだ。

さらには、現在の代表的な食肉、鶏・豚・牛を比べるだけでもよい。この三種類の動物を比べて「もっとも科学的に効率のよい食肉」を決めることは可能だ。それ以外の動物の食肉としての飼育を禁止するという主張も可能だろう。だが、それをしない。

ということはつまり、物質的身体の必要性に基づいてなされている「動物性たんぱく質の効率的な摂取のために肉食は不可欠」という主張には、つねにすでに意味が混入している。

じつは、寄生生物が人間を捕食する理由もわからない。「でも……わからないのはヤツらの食い物なんだ／なぜ人間を食うのか／まるで　とも食いじゃないか」（一巻、一四七―一四八）と新一は悩む。後に判明するが、寄生生物は必ずしも他の人間を「とも食い」する必要はない。ミギーは「わたしは直接　きみの血液から養分をもらっているので食欲というものを知らん」（一巻、一四八）と新一に向かっていうし、田宮良子は人間と同じ食生活を心がけていた。市役所での激戦のあと　全国的に寄生生物はなりを潜めるようになるが、「本来の食性自体を徐々に変化させて人肉食を減らし／食生活そのものが「人間化」していった者たちもいたのである」（八巻、一八九）と解説される。寄生生物が「〝この「種」を食い殺せ〟」につねに従っているわけではないことで、私たちは寄生生物が人間を食い殺す意味を考える。

二つの問い、寄生生物が存在する意味、寄生生物が人間を食べる意味、その反転として人間が他の動植物を食べる意味は『寄生獣』を貫く問いだ。

物語はこう始まる。

地球上の誰かがふと思った

『人間の数が半分になったらいくつの森が焼かれずにすむだろうか……』

『人間の数が100分の1になったらたれ流される毒も100分の1になるだろうか……』

『生物《みんな》の未来を守らねば……』（一巻、四―五）。


人間でありながら寄生生物側につき、組織化を指導した広川剛志は、銃を構える突入部隊を前にこう演説する。「もうしばらくしたら人間全体が気づくはずだ／人間の数をすぐにも減らさねばならんということに……〔…〕きみらは自らの「天敵」をもっと大事にしなければならんのだよ」（七巻、一八三―一八四）。そして冒頭のナレーションの言葉を繰り返し、さらに続ける。


人間1種の繁栄よりも生物全体を考える!!　そうしてこそ万物の霊長だ!!

正義のためとほざく人間《きさまら》!!　これ以上の正義がどこにあるか!!

人間に寄生し生物全体のバランスを保つ役割を担う我々から比べれば人間どもこそ地球を蝕む寄生虫!!

いや……寄生獣か！（七巻、一八六―一八七）

広川は、地球規模で考えた場合、人間は環境を破壊する害悪でしかないと考えている。広川の提示したフィクションは、人間を「間引き」するために寄生生物が存在するというものだ。

これが広川の思想、彼のフィクションでしかない点には注意が必要だ。『寄生獣』は単なる環境問題啓発漫画にならないところにSFとしての奥行きがある。広川がいったような「大自然のピラミッド」たる食物連鎖に人間／寄生生物を収めたところで、それはあくまで機能のレイヤーであり、サイエンスの「どのように」の説明範囲でしかない。なぜ人間はピラミッドの頂点にいる（いた）のか。なぜ寄生生物は人間に寄生し、人間を「とも食い」するのか。人間と寄生生物は意味を求めることをやめない。『寄生獣』という物語は、広川が率いる組織化された寄生生物との戦闘が物語のエンディングではない。新一は後藤と戦い、脱走した連続殺人犯・浦上と対峙することになる。人間と寄生生物の生存闘争だけではなく自らが存在する意味の探求も描いていることが、『寄生獣』がサイエンスのフィクションである理由なのだ。

ポストヒューマン誕生――自己と異質な他者のあいだ

映画《エイリアン》は、当初こそエイリアンと人（類）の殲滅戦争といった装いであったが、回を重ねるごとに駆除する／駆除されるという枠組みだけではとらえられない変容をした。

『寄生獣』には人間が寄生生物を駆除するのか、それとも寄生生物が人間を「間引く」のか、物語に緊張がみなぎる。市役所襲撃を指揮する山岸二佐ははっきりと宣言する。「我々がこれからやろうとしているのは「犯人さがし」ではなく「害虫駆除」なのですから」（七巻、三四）。そうして「害虫駆除」に乗り出した山岸二佐はじめ軍人たちは、無残にも後藤の前に敗北する。駆除しようとした人間たちが、寄生生物たちに逆に駆除されてしまう。『エイリアン2』で意気揚々とエイリアンの巣窟に入っていき、返り討ちにあう宇宙海兵隊のようだ。たいてい、伝統的な人間組織は敵エイリアンの戦力を正しくとらえられない。エイリアンの異質さを受け入れないことで、組織が保たれている節もある。

そんなことよりもっと大事なことがある。『寄生獣』は駆除する／駆除されるという枠組みにおけるパワーバランス、単なる綱引きだけを描いていない。そうではないことは、新一とミギーの共生関係から示される。新一／ミギーだけではなく、人間にもそして寄生生物にも登場する、両者どちらかのみにカテゴライズされるのではなく（either A or B ではなく）、両方のカテゴリーに同時存在しうる（both A and B として）ものたちがいる。

『寄生獣』のＳＦ的な可能性は、自己と他者、人間と寄生生物の境界がゆらぐことにある。新一はミギーとくっついているし、その境界面も割合も時とともに変化をする。心臓を貫かれ、ミギーの努力で蘇生したあとの新一にはミギーの細胞が混ざりこむ。それに呼応して新一の思考法はどんどん寄生生物的、合理的になっていく。新一の言葉「死んだイヌはイヌじゃない／イヌの形をした肉だ」（三巻、二〇）にガールフレンドの村野里美はショックを受ける。新一は自らの変化に戸惑い、自分が考える人間らしさを取り戻そうと、利他的なふるまいをしたり涙を流そうとしたりする。これは『エイリアン4』でクイーンと細胞レベルで融合した状態で復活したリプリーを彷彿とさせる。

新一だけではない。数々のキャラクターが自他の境界を揺るがせる。新一と一緒にいることで人間の思考を理解できるようになったミギー。ミギーは最後には「心に余裕《ヒマ》がある生物」と人間の感情の源泉を探り当てる。寄生生物でありながら人間の子供を生み、育て、親ゆえに生じる感情を手探りで求めた田宮良子。人間だが、寄生生物の波長を感じ取れる君嶋加奈。人間でありながら「我々」と寄生生物に心情的同一化し、「人間ども」と侮蔑する広川。人間的感情を持ち合わせず、寄生生物に近いがゆえにその存在を嗅ぎ分けることができる浦上。

主要登場人物たちには、完全な人間も完全な寄生生物もいない。一方の端に人間、もう一方の端に寄生生物を置き、そのあいだに広がる人間―寄生生物スペクトラム。この帯の上にそれぞれが独自の位置を占める。その位置は固定されない。人間によったり、寄生生物のほうへふれたりするのだ。ここにあるのは境界侵犯である。

本来、生物はその体に異物が侵入したときに対抗反応を見せる。免疫だ。寄生生物は人間にとって異質なものであり、免疫系の攻撃対象となってもおかしくない。そうならないのは、科学者・由井によれば「細胞融合」が起こるからだ。寄生生物の体が人間の細胞に圧倒されることはない。では、細胞レベルで見た寄生生物は無敵なのかというと、そういうわけでもない。新一の学校を襲撃した寄生生物・島田秀雄はクラスメイトから硫酸を浴びせられ、意志の統一ができなくなる。死んだ細胞と生きた細胞が体内に混在し「支離滅裂」になってしまう。寄生生物界最強の後藤は、体に突き刺さった鉄の棒から毒が体内に侵入し、体のコントロールを失ってしまう。後藤には「五頭」の寄生生物が同居していたのだが「「統率者」以外の寄生細胞が本能的に危機を察知し統制から逃げたがっている／いま「頭」と「それ以外」との間で壮絶な綱引きのまっ最中」（八巻、一六三）になる。

マクロレベルの自他の揺らぎとして、ポスト近代における政治／身体／表象のキーワードとして免疫は着目される。(*3) 免疫系がハッキングされ、境界が侵犯されるとき、そこに生まれるものは果たして何者なのか。ヒューマンなのか、エイリアンなのか。その混淆であるポストヒューマンなのか。『寄生獣』に出てくるヒューマンとエイリアンのスペクトラムに配置される存在は、ポストヒューマンとしか形容できない。

接触面は、たとえば国境のような政治的に引かれた抽象的な線ではない。何かと何かが現実に接し、生じた具体的かつ物理的な線だ。だから地図上の国境線とはことなり、この線には幅もある。一方から他方へと、線を越えたら変化できるわけではない。容易に越えられないくらいの幅をもつことすらある。境界は安定しない。静的に理解されず、動的に描写される。本質が構築される。『寄生獣』のスタートとゴールで、新一は同じ存在であり続けただろうか。この問いそのものは欺瞞である。同じ存在でい続けようと変化し続けること。それが新一の葛藤であり、努力しても同じ存在ではいられず、またそのことに自分では気づけないことが、新一の苦しみであり、あるいは諦めでもあった。

科学＝機能のレイヤーにおける物質的／身体的な境界侵犯は、虚構＝意味のレイヤーまで影響を及ぼしている。ＳＦはサイエンスという機能とフィクションという意味の二層構造だと冒頭で定義した。『寄生獣』の登場人物たちは、人間であれ、寄生生物であれ、あるいはその中間的な存在であれ、つねに意味を問うことで物語＝ＳＦを駆動させてきた。さらに、意味を問う主体の内部では境界侵犯が進行している。意味を問う主体そのものが変容するという極めて再帰的な状況が発生している。サイエンスとフィクションの間の動的な緊張関係だけではなく、サイエンス内での免疫／境界侵犯がつねにすでに起こり続け、それにより意味を問うフィクション自体も変化する。この極めてダイナミックな現象こそまさにＳＦだ。

ポストヒューマンの末裔――『七夕の国』

『寄生獣』は寄生型エイリアンの地球侵略が物語の発端である。異質なものの地球／人類／身体への侵入がきっかけとなり、人間とパラサイトが融合。そうして複数のポストヒューマンによる意味の問い直しが行われた。

では、エイリアンとの接触が遠い昔に完了し、誕生したポストヒューマンに歴史的・文化的な意味づけがなされた世界において、ポストヒューマンたちは意味をめぐる問いから無縁であるのだろうか。サイエンスの層が安定すれば、フィクションの層においても安定して意味を供給できるのだろうか。『寄生獣』の後に発表された『七夕の国』を、内容的に『寄生獣』のその後を描いたものだと位置づけ、この問題を考えてみたい。

一九九六年から九九年にかけて連載された岩明均『七夕の国』は、千年以上前に地球に訪れたエイリアンたちが遺していったものをどう解釈するのか、そして「自分たちはどうして存在しているのか」という出自＝起源を問う物語だ。(＊4)

日本のある地方にやってきたエイリアンは、そこの住人に自分たちの進歩したテクノロジーを見せ圧倒した。人間の精神にも働きかけ、主従関係を築く。エイリアンを迎え入れざるを得なかった住人たちには「窓をひらいた者」と「手がとどく者」という特殊能力者が生まれる。

「窓をひらく」というのは地球外の世界を垣間見る力で、「手がとどく」というのはその異次元の世界から不思議な球体を取り出す力だ。この球体は地球上の物体に衝突すると、接触した部分を光とともに消滅させる。爆発というのではなく、まるで異次元に転送されたかのように鋭利な断面を残して消える。

主人公の南丸洋二はこの力を受け継ぐものだ。「丸神の里」と呼ばれるエイリアンが降り立った場所が先祖の故郷だが、自分が能力者の血筋にあることを知らない。ただ不思議な能力があることは知っている。その力も、適切な訓練を受けていないので、まだ十分に力が発揮できない。大学生である南丸は、丸神教授に呼び出されるものの、当の丸神教授は丸神の里へ調査にいったきり帰ってきていない。南丸は残された教授のゼミ生らと丸神の里を訪れ教授の足取りを里の者に訪ねて回る。同時に里から姿を消した「手がとどく力」の持ち主による殺人事件や破壊事件が発生し、里の者たちが千年来、土地に閉じ込めていたエイリアンの力＝超能力が外に出てしまったのではないかと里に動揺が走る。

「手がとどく力」を行使できるものは、作中に五人出てくる。この力を使えば使うほど、その姿はエイリアンじみてくる。最初は頭に血豆のような小さな突起がでるだけなのだが、やがてその突起は大きな玉になり額を覆う。顔や手の形も変わり、昆虫のようになった手に指も一本増える。一番の力の使い手・丸神頼之は、普段はコートと帽子で姿を隠しているが、その姿はエイリアンである。姿を見て「宇宙人」と驚くものに「おれは、これでも日本人だぜ」（二巻、一八八）と言い放つ。もともとは日本人（人間）であったが、力を使い続けることによってエイリアンに変容していった。

頼之が自分を「日本人」とアイデンティファイしたことは重要だ。都留泰作は頼之のこのセリフに注意を払い「なぜここで頼之はもっと陳腐に「俺はこれでも人類だぜ」と言わないのだろうか」と問うている。(*5) エイリアンという概念＝言葉の多義性がここにも見いだせる。異星生物という意味のエイリアンの対義語は人間だが、外国人という意味のエイリアンの対義語は日本においては日本人である。「丸神の里」から飛び出し政府要人のお抱えヒットマンとして能力を使う頼之が、エイリアンの対義語に「里の者」という村人ではなく「日本人」という国民国家の成員をあてたのは象徴的である。自分が何のために行動しているのかという現状認識により、アイデンティティが変わっている。これは、エイリアンが里の者に与えた歴史的・文化的に与えた意味が失調していることを如実に反映している。

おそらく千年前のエイリアンは、遺伝子レベルで現地の人間を改造した。丸神教授の仮説によれば、これはロマンティックな話でも何でもなく、エイリアンの入植先を選定する上での介入だとされる。しかしエイリアンはやがて地球に来なくなる。残されたエイリアンと人間のハイブリッド種族は、里に残り、里の秘密と自分たちの超能力を保持し続けた。「窓をひらく力」というのは、地球ではない世界を垣間見る力であると先に述べたが、そのような世界を十分に理解するには足りず、力をもつものはただ恐怖と不安を覚える。里の者たちはエイリアンが来なくなった後も、エイリアンへの畏怖を持ち里に縛られ続ける。

これが『七夕の国』を『寄生獣』のテーマ的な「その後」の物語とみなす根拠だ。寄生生物と融合した人間たちがどこかに潜み〈人間＋エイリアン〉のハイブリッド種族として生きてきたら、丸神の里のようなコミュニティができあがっていたかもしれない。それに田宮良子が産んだ子供は、本当に「人間」なのだろうか。新一のように、あるいは『エイリアン4』のリプリーのように、遺伝子レベルで寄生生物と融合している可能性は本当に排除できるのか。(*6) 寄生生物が操る人間が再生産し生まれてくる次世代は人間とエイリアンのハイブリッド、能力者となる可能性は十分に考えられる。

おそらく造物主に見捨てられ地球に取り残された丸神の里に生きるポストヒューマンたち。彼ら彼女らは、独自の文化・伝統を持ち、外部との関係を極力避け、古くから受け継がれる「七夕の祭り」を行う。歴史・文化・伝統は、オーバーテクノロジーをもつエイリアン（丸神教授はカササギと呼ぶ）が臣下たる人間を従属させるための社会的な文脈と理解できる。定期的にしか姿を見せないカササギへの畏敬の念を持ち続けるために、物語を付与したのだ。しかし、カササギの地球来訪がなくなると、この物語のアクチュアリティは減じざるを得ない。出自＝起源の物語を喪失したポストヒューマンたちは、カササギの遺したものから物語を構築し始める。ただし、起源回復の試みも一筋縄ではいかない。意味をめぐる解釈論争が勃発する。

丸神教授と頼之のあいだでは異次元球体の意味が根本的に異なる。丸神教授は、超能力をエイリアンの残していった呪縛だと考えるが、頼之は違う。彼は異次元球体として出現する「窓」を「玄関」と考え、それを十分に大きくすることができれば、エイリアンのもとへと行ける＝帰れるのではないかと考える。さらに南丸にとってはこの超能力は破壊でも帰還でもなく、大学のサークル活動で利用するものでしかない。

カササギが遺したのは「窓をひらく者」「手がとどく者」というポストヒューマンだけではない。丸神の里の地形が「何平方キロにもおよぶ広大な、そして見事な大地の彫刻だ！」（三巻、二四二）と丸神教授は看破する。カササギは自らのテクノロジカルな優越性を誇示するために地形を加工したのではないかというのが教授の推測だ。教授のゼミ生が立体模型を苦心して制作するのだが、これも地形の意味を解き明かすヒントとなる。さらに丸神の里で用いられる旗や七夕の祭りの意味も、再解釈されていく。そもそも丸神教授が文化人類学徒であり、学術的方法論を身につけている。そのうえで、カササギとの断絶と歴史の堆積により、本来とは異なる意味をもつようになったカササギの遺物の意味を再発見＝再解釈するのだ。

ただしこの解釈は一義に収斂しない。丸神教授と頼之の、あるいは南丸やその他のポストヒューマンたちの間で、意味と出自をめぐる問いかけは繰り返される。ポストヒューマンでさえ意味を固定し安定して供給することができない。出自＝起源の物語はつねに問われ、彼ら彼女らもまたフィクション（虚構）を必要とする。人間「以後」の存在であるが、意味＝物語を求め続ける姿勢は人間的ですらある。この人間「以後」の「人間的」振る舞いは、ポストヒューマンの特徴の一つである。

『寄生獣』から『七夕の国』への流れは次のように整理できる。まずサイエンスとフィクションの動的な関係を『寄生獣』は示す。科学が答えられない意味のレイヤー（虚構）でキャラクターたちは戦う。意味をめぐる戦いをしながら、同時に物質的基盤である機能のレイヤー（科学）ではヒューマンとエイリアンの混淆、境界侵犯、そしてポストヒューマンの誕生がみられる。

続く『七夕の国』はポストヒューマンが誕生した後の物語だ。地球に取り残されたポストヒューマンの末裔たちは、自分たちの造物主たるエイリアンの意図を読み解こうと、遺されたものを解釈する。ここで描かれるポストヒューマンたちは極めて人間的である。ポストヒューマンが「もう人間でない／まだ人間である」の板挟みにある様子は、頼之が宇宙人でもなく人類でもなく「日本人だぜ」と自己規定した感覚と確実につながっている。

本章はSFの定義を考えることから始めた。SFの語り易さは、SFの語りにくさとつながる。科学を基盤にしながら科学が答えられない意味について問う虚構であるSFは、語りを通じて物質的現実、科学的基盤に境界侵犯を起こす。しかし、ヒューマンとエイリアンのハイブリッドたるポストヒューマンの誕生は、安定した語りをもたらすどころか、さらなる意味をめぐる問いと論争を生む。ポストヒューマンすら安定したカテゴリー足りえないことも同時に明らかになる。

SFの定義を考えるのに『寄生獣』と『七夕の国』ほどふさわしいテクストはない。SFの想像力はポストヒューマンを生む。ポストヒューマンの誕生は今まで存在しなかったものが新しく生まれたことを意味する。想像力が創造力へとシフトする。プリミティヴな「あんなこといいなできたらいいな」（「ドラえもんのうた」）という想像力が、SFというジャンルの根底＝根源で、次なる人間を生み出す創造力となる。本書がポストヒューマンに注目するのは、最近のトレンドであることに加えて、ポストヒューマンこそがSFの根源的な想像力＝創造力の産物だからだ。ポストヒューマンについて考えることはSFについて考えることであり、SFについて考えることはポストヒューマンについて考えることになる。

【註】

（※1）「これはSFではない」論争は、古くはジョージ・ルーカス『スター・ウォーズ』や富野由悠季『機動戦士ガンダム』、瀬名秀明『パラサイト・イヴ』などがある。ある作品がジャンルのファンを超えて幅広く受容されると、ジャンル内からの問い直しにつながる。この原稿初出時の二〇一三年なら『安堂ロイド』日本SF大賞大量ノミネート事件もこの一種だ。

（※2）もちろん『遊星からの物体X』はジョン・W・キャンベルの短編小説「影が行く」が原作であり、一九五一年の最初の映画版もあるが、クリーチャー造形ではカーペンター版が傑出している。

（※3）ダナ・ハラウェイ「ポスト近代の身体／生体のバイオポリティクス」『猿と女とサイボーグ』（翻訳二〇〇〇年）参照。

（※4）自分たちが作られたものだとしたら、自分たちを作ったものは誰か、なぜ自分たちを作ったのかと問うことは、ある意味で自然なことだ。『七夕の国』のエイリアン種と人間の関係は、《エイリアン》のエンジニアと人間、人間とアンドロイドの関係と類比的であり、第十章で論じるメアリー・シェリー『フランケンシュタイン』の名前すらない「それ」と呼ばれる怪物の出自＝起源への問いが、『七夕の国』でも反復される。

（※5）都留泰作「「科学意識」のエンタテイナー　『七夕の国』について」『ユリイカ二〇一五年一月臨時増刊号　総特集◎岩明均』（二〇一四年）所収。

（※6）杉田俊介と齋藤環の対談「境界線に生きる者たち」（『ユリイカ二〇一五年一月臨時増刊号　総特集◎岩明均』所収）で「母胎を通して細胞の交換や循環があったはず」と杉田は指摘している。

第三章　『AKIRA』と『ナウシカ』から日本的ポストヒューマンへ

ポストヒューマンというトレンド

近年のSFはポストヒューマン・ブームである。バブルというと言い過ぎかもしれないが、ここそこにさまざまなポストヒューマンが発見できる。

ブームの背景にあるのはコンピューター・テクノロジーが大衆化し、人間と非人間との境界に揺らぎが生じていることだ。マスメディアでAIという単語を見ない日はないし、十年前なら専門家とSFファンしか知らないだろうシンギュラリティという言葉も市井の人が口にする。人間と非人間の揺らぎといえば、昔なら人間と機械が融合したサイボーグを思い浮かべるが、もっとカジュアルな人間と非人間の融合がそこかしこにある。久保明教が『機械カニバリズム』(二〇一八年)で指摘したのは、たとえばLINEの「既読スルー」も、私たち人間が非人間(スマホ)と融合し「LINE人間」という「第三のエージェントにおいて、はじめて実行可能な行為となった」という事実だ。社会の下部構造たるサイエンスが、急速に進歩・発展し、社会の上部構造たる人間の意識を変容させる。変容した人間がさらに社会に働きかけるとき、サイエンスを表象の手段かつ対象とするSFが再帰的な役割を果たす。

社会の変化と連動し、日本SFはポストヒューマン表象にあふれている。伊藤計劃が『虐殺器官』（二〇〇七年）で、人間が生得的にもつ虐殺のスイッチを入れ世界に混沌をもたらしたあと、続く『ハーモニー』（二〇〇八年）で、意識なき人間の姿をポストヒューマンとして提示した（伊藤計劃については第十章で詳述する）。早川書房が「伊藤計劃、円城塔、冲方丁、小川一水などの新世代の作家」に「続くような、今後のSF界を担う新たな才能」の発掘（公式ウェブサイトより）を目指して二〇一二年から再開した「ハヤカワSFコンテスト」でデビューした作家の作品にもポストヒューマンが見られる。

第一回大賞、六冬和生『みずは無間』（二〇一三年）は惑星探査衛星に搭載された人間の人格をもとにしたAI（人間と非人間のハイブリッド）の語り手が登場。

第二回最終候補作、倉田タカシ『母になる、石の礫で』（二〇一五年）は3Dプリンタ技術を使い宇宙空間での生活に最適化されたポストヒューマンたちの姿が描写される。

第三回大賞、小川哲『ユートロニカのこちら側』（二〇一五年）は、テクノロジーによる環境管理が完遂されたユートピア／ディストピア社会の成立過程を描くことで、人間自体の変容を焦点化した。

第四回の特別賞、草野原々『最後にして最初のアイドル』（二〇一六年）は、アイドルを目指す少女がアイドル活動を通じ、人類が滅びた後の地球で異形のポストヒューマン（！）となるのだ。

第六回の優秀賞、三方行成『トランスヒューマンガンマ線バースト童話集』は、タイトルどおりポストヒューマンならぬトランスヒューマンが、竹取物語やシンデレラの童話を舞台に登場する。以上は早川書房が主催しているコンテストの作品群だが、ほぼ毎年、一作品はポストヒューマンを扱う作品が登場している。日本ＳＦの最新潮流にポストヒューマンがあることは間違いない。

しかし、ここではもう少し射程を広げていきたい。

ここまでエイリアン表象を経由したポストヒューマン像の検討をしてきた。「ＳＦといえばエイリアン」というぐらいにＳＦではおなじみの存在であるエイリアン。その表象を、映画《エイリアン》と岩明均『寄生獣』『七夕の国』をたどることで確認してきた。いずれの作品においても、当初は絶対的で暴力的な他者として現れたエイリアンは、しかし人間との生物学的レベルにおける融合を通じ、〈人間＋エイリアン〉とでも呼ぶべき混ざり合ったものに変化した。これはポストヒューマンの一つの姿である。

エイリアンという他者が、生物学的にすなわち物理的に、身体的に、物質的に人間に影響を与え変容させた。リプリーもシンイチも「従来の人間がもっていた制限を超えた」存在へとなった。ＳＦはエイリアンというおなじみの存在を通じて、ずっとポストヒューマンについて思索してきたといえる。

最近の日本ＳＦのポストヒューマン・ブームは、もちろん事象として確認できる。ここでは日本におけるポストヒューマン表象の歴史を紐解き「現在を歴史化する」ことを目指す。昔からポストヒューマンはあったということを言いたいのではない。SFはつねにエイリアンとポストヒューマンを主要なテーマの一つとして扱ってきた。あるいは第二章の結論を繰り返せば、SFの根源的な想像力=創造力がさまざまなポストヒューマンを生んできた。ポストヒューマンという概念が歴史的なものであることと、現代性をもつものであることは矛盾しない。ポストヒューマンの扱い方はどう変化したのか。そしてポストヒューマンの現代性、さらには現代日本のポストヒューマン性を探っていきたい。

ポストヒューマンとしてのアキラとナウシカ

歴史的射程を広げるために、約四十年前の作品を取り上げたい。

代表的な日本SF作家といえる二人のアニメ監督による作品、大友克洋の『AKIRA』と宮崎駿の『風の谷のナウシカ』(以降『ナウシカ』)をポストヒューマンSFという観点で読んでみたい。両作品とも超有名作品であり、国内のみならず海外の、そしてSFのみならず広い層で人気だ。しかし、ポストヒューマン論の文脈で両者を対照させて語ることはあまりないだろう。確かに『ナウシカ』論は多くあり、その場合は当然アニメだけではなく原作マンガも対象となっている。以下に見るようにナウシカ自身が、私たちとは異なる存在である。必然的にマンガ『ナウシカ』論はポストヒューマン論ともなるが、たとえば同時代の『AKIRA』との比較や、ポストヒューマン史への接続という観点はない。本章では『ナウシカ』と『AKIRA』の二つを見ながら、ポストヒューマンの歴史性、および現代日本SFのある側面を考えていきたい。大友克洋と宮崎駿の評価は、とくに海外では、アニメ監督としてのそれである。大友克洋が監督を務めた『AKIRA』（一九八八年）はJapanimationというカテゴリーの代表格であった。しかしここでは二人ともSFマンガの作家として検討する。

『AKIRA』と『ナウシカ』（ともに断りがない限りマンガ原作を指す）は共通点がいくつもある。マンガとして始まり、のちに劇場版アニメが製作された。しかし劇場版の時間的制約のために原作の表層的な部分だけを映像化することしかできなかった。『AKIRA』は一九八二年から九〇年まで連載、アニメは八八年、『ナウシカ』は一九八二年から九四年まで連載、アニメは八四年。とくに、両作品とも連載開始が八二年というのは重要である。(*1)

形式的な類似だけではなく内容にも共通点は多い。二作品ともポストアポカリプスの世界が舞台だ。『AKIRA』では、一九八二年、東京に新型爆弾が落とされ、第三次世界大戦が勃発。二〇一九年、翌年に東京オリンピックを控えた年が作中の現在だ。オリンピック「中止だ！　中止！」という看板はネットで話題にもなった。廃墟だった東京はネオ東京として復興しつつあるものの、戦後の風景もあちこちに残る。なぜ二〇一九年が舞台かというと単純な足し算である。連載開始の八二年は敗戦時一九四五年から三十七年後。一九八二年の三十七年後が二〇一九年だ。

一方、『ナウシカ』は「火の七日間」という世界最終戦争後が舞台だ。人類はテクノロジーを失い、世界は猛毒の物質に覆われた。飛行機はあるがエンジンを自分たちで作れず、旧文明人が遺したものをメンテナンスしながら使う。独自の生態系をもつ腐海とそこの生物が発する瘴気は猛毒であり、腐海の中で人間はマスクをしないと死ぬ。マスクをしたところで毒は蓄積し、人類は種族としての死に緩慢に向かっている。いずれの作品も、頂点に達したテクノロジーにより文明が根底から揺らぎかねない災厄が引き起こされた。無論、引き起こしたのは人間であるのだが。

次の類似点はポストヒューマンだ。『AKIRA』の新型爆弾は、アキラという少年が引き起こしたエネルギー爆発のことであった。アキラをはじめとした複数の子供たちは、先天的に超能力が備わっていることがわかり、研究機関のラボで人為的に能力の強化が行われた。あるとき、アキラの力が暴発、通し番号が手の平に刻まれているのでナンバーズとも呼ばれるラボの子供たちはアキラのほか三人を残して消える。それから三十数年後。バイクに乗ってネオ東京の夜を暴走する金田とその友人・鉄雄が、ラボから抜け出したナンバーズの一人、老人の外見をした子供と接触、鉄雄の潜在能力がアーミーによって発見されるところから、長い物語の幕が開く。アキラは暴発以後、爆心地の地下に厳重に封印されていたが、力を使えるようになった鉄雄によって解放。それぞれの思惑を胸に秘めた者たちがアキラの争奪戦を始める。だが、ナンバーズの一人がアキラの目の前で殺されたことで、再びアキラはエネルギーを爆発させる。

アキラを含めたナンバーズの能力開発の様子は、極めてサイバーパンク的だ。頭にケーブルを接続し、脳を直接、刺激する。管まみれの子供の姿は、人間なのか管なのか本質（本体）がどこにあるのか見つけるのが難しい。しかし連載時にはコンピューター／インターネットが大衆化しておらず、接続された子供たちは、フィジカルな力をヴァーチュアルではないリアリティ（現実）で超能力として発揮する。大友の『童夢』（一九八〇年連載）の超能力描写の延長に『ＡＫＩＲＡ』は位置する。

これが時を下ると、たとえばウォシャウスキー姉妹による『マトリックス』（一九九九年）のように、電極に接続されたものたちはヴァーチュアル・リアリティの中で、ソースコードへの積極的介入を通じて驚異的な力を発揮できる。『ＡＫＩＲＡ』はサイバーパンクの過渡期にあった作品なのだ。(＊2)

では『ナウシカ』にはポストヒューマンは出ているのか。劇場版を見ている限り見当たらない。マンガ版のみ登場するからだ。ナウシカは、腐海の王蟲の存在理由が汚染された環境を浄化するためであることに、実験室での研究を通じてたどり着く（マンガも劇場版もここまでは共通）。劇場版の有名なラストシーンは、環境に良いもの＝王蟲をナウシカの非（超）人間的な博愛が包み、愚かな人間を象徴する巨神兵・トルメキア軍・王女クシャナが対立。伝説にも謳われている力によってナウシカ・王蟲が「勝つ」。

しかし、マンガ版はこの人間対自然の構造をさらに複雑に、難しいものへと発展させている。旧文明の遺物を管理する人（人造人間）は、ナウシカに腐海の真実を告げる。腐海は毒を浄化するが、浄化の完了した正常な土地にナウシカたちは住むことができない、と。ナウシカたちは、旧文明の人間が、環境の浄化を終えるまでの「除染作業員」として、毒への耐性を強化された身体に人工的に作り変えられた人間だったのだ。毒への耐性と引き換えに清浄な環境での生存能力を失ったナウシカたちは、腐海が役割を果たすと共に死滅せざるを得ない。旧文明の人間は、新しい世界に適応するように再度、身体を改変すると主張しているが、言うだけならどうにでもなる。ナウシカたちは、汚染された世界に適応した／適応させられたポストヒューマンだ。ただし、ポストヒューマンは彼女たちだけではない。

旧文明の人間たちは繭の中の卵となり、新しい清浄な世界に火の七日間をおこした強欲を喪失した状態で生まれることになっている。彼ら（それら？）をナウシカは「私達のように凶暴ではなくおだやかでかしこい人間となるはずの卵」と言い、トルメキアのヴ王は「そんなのものは人間とはいえん」（七巻、二一一）と言う。旧文明の人間は、汚染の中で生きられる労働者としてナウシカたちを設計した。彼女はポストヒューマンである。また同時に、旧文明の人間たちは、自分たちの子孫として清浄な世界にふさわしい清浄な人間もまたデザインしている。繭に包まれた卵たちもポストヒューマンなのだ。

『ナウシカ』の最後、世界の真実を知ったナウシカは、自らを母と慕う巨神兵の力を使い旧文明の新人類の卵を破壊する。ポストヒューマンによるポストヒューマンのジェノサイドだ。劇場版とは異なりナウシカは世界の真実を知る。しかしそれを自らのうちに秘め、暴力で自分たちの生を肯定する。この姿は、自分を殺すという父の謀略のために部下を失い続け毒気が抜けていくクシャナとあまりにも対照的だ。

ここまで共通点を確認したが、もちろん相違点もある。マンガの描き方・構成が異なる。大友克洋は大きなコマ割りで、直線＝人工物が凝縮している。コミックスも雑誌と同じサイズの紙面だが、それでも線がとても細かい。大友克洋は手塚治虫への尊敬を隠さなかった。が、手塚治虫的なものから遠いマンガの一つでもある。敬意を示せば示すほど、非手塚的なものが際立つ。さらにページの分量は圧倒的に多い。全六巻で約二一〇〇ページあり、『ナウシカ』全七巻一一〇〇ページのゆうに二倍である。しかし、ストーリーの深みという点では『ナウシカ』には負ける。『AKIRA』はセリフが少なく、アクションシーンで物語が展開する。アキラを含めたナンバーズがどのように生まれどうなったのかが語られるのは最終六巻のほんの数ページだけだ。

対して『ナウシカ』はどうか。『AKIRA』に比べコマ割りは小さい。自然だけではなくテクノロジーの描写にも曲線が用いられている。『AKIRA』を形容するのに「無機的」という言葉が頻繁に使われるが(*3)、『ナウシカ』は有機的ともいえる。旧文明のテクノロジーは、飛行機やエンジンは丸みを帯びているし、王蟲やヒドラ、腐海といった生命的なテクノロジーも丸い。『ナウシカ』で、直線的な人工物として思い浮かぶのが、旧文明のテクノロジーが集積し、新人類の卵が保管されているシュワの墓所だ。直方体的でピラミッド然としている。ただし巨神兵の攻撃で亀裂が入ったとき、修復するのはどろどろの粘液状のものであり、その内部に入れば生き物の体内のように描かれている。両者の差異は、しかし手塚治虫のヴィジョンの連続と断絶といえるかもしれない。大友克洋は手塚を尊敬しつつも技法的には完全に断絶・跳躍している。宮崎駿のポストアポカリプス、ポストヒューマンのヴィジョンは手塚の『火の鳥』を連想させる。

〈ポストヒューマンのパラドックス〉とその克服

ヒューマンにポストが付くとき、そこにはヒューマンとポストヒューマンの間の共有不可能な断絶が生じる。人類進化を描いてきたSFにつきものであるこの断絶を〈ポストヒューマンのパラドックス〉と呼びたい。少し説明しよう。

ヒューマンは、相手がヒューマンであれば、理解可能である。もちろん人間同士の相互不理解を原因とする対立や争いは日常茶飯事であるし、人類史の大半は戦争の歴史であるかもしれない。しかしSF的に異質な存在と比べればすぐにわかるとおり、人間同士は共有しているものがたくさんある。ひょっとしたら共通しているものがあまりに多いので、利害対立が生じるのかもしれない。いずれにせよ、ヒューマンは相手がヒューマンであれば基本的には理解しうる。

これに対して、ポストヒューマンは人間以後の存在であり、かつ人間以上のときもあり、ヒューマンの理解可能性を基本的にもっている。しかし、ヒューマンからポストヒューマンへの理解は断絶している。これは、自転車に乗れなかった子供が自転車に乗れる様子をイメージできない一方で、自転車に乗れるようになった子供は自転車に乗れなかったころの自分も覚えているという非対称性と似ている。何かをできるようになったという閾値を超えた状態は非連続的であり断絶がある。シンギュラリティも同様だ。特異点というのは断絶した先に飛び出した点のことだ。

ポスト／ヒューマンとスラッシュを入れて書くとき、ポストヒューマンはヒューマンを内包しうる上位概念だが、ヒューマンはポストヒューマンを想像しえない。もし想像できたらそれはすでにポストヒューマンである。「ポスト」とは共有不可能な断絶と読める。

となると、物語としてポストヒューマンを語るSFで、もし視点人物をヒューマンに固定したら、その視点からは決してポストヒューマンは理解されないだろう。ひょっとしたらエイリアン＝暴力的な他者に見えるかもしれない。あるいは万能の他者＝神とも思えるかもしれない。

では視点人物をポストヒューマンに固定したらどうだろう。この場合も問題がある。私たち読者はどれだけ頑張ってもヒューマンでしかありえない。読者が、いかに素晴らしいポストヒューマンSFを読み、ポストヒューマンを理解できたとしても、それは本当の意味でのポストヒューマンではない。なぜなら、繰り返すが「ポスト」とは共有不可能な断絶のことだ。現在の人類である私たちていどで理解できてしまうポストヒューマンは、本当にポストヒューマンなのだろうかという問いはつねにつきまとう。

以上をまとめると〈ポストヒューマンのパラドックス〉は次のように定義できる。

〈本当のポストヒューマンとは、ポストがもつ共有不可能な断絶のために、ヒューマンには想像も表象も不可能である。〉

ただし傑作SFはこのパラドックスに果敢に挑戦し、読者に「もっともらしさ」を体験させるものだ。不可能だからあきらめる、という話をしているのではない。あくまで原理的には不可能だが物語的には可能ということだ。

ポストヒューマンSFは、ヒューマンとポストヒューマン、あるいは別種のポストヒューマンたちが混在する環境で、半ば必然的に互いの種の保存をかけて生存闘争を行う。これは〈ポストヒューマンのパラドックス〉が示す「ポスト」の共有不可能な断絶が、物語の中で具体化したものだ。ポストヒューマンそれ自体を表象することが困難であるならば、その困難さを含めて表象するといういわば「搦め手」が要請される。具体的には、不変の存在ではなく動的な状態として変容過程に焦点を当てたり、あるいは読者にこれはヒューマンであるという先入観をもたせながらやがてそれがポストヒューマンであると明らかにしたり、異質なものを同化する、その逆に感情移入した対象を異質なものとして遠ざけるなどだ。

『ナウシカ』や『ＡＫＩＲＡ』をポストヒューマン（と）の闘争（ヒューマンvsポストヒューマン、ポストヒューマンvsポストヒューマン）と位置づけることは、ＳＦ史への接続ともなる。たとえば、Ｈ・Ｇ・ウェルズ『タイムマシン』（一八九五年）。タイムトラベラーは八十万年後の未来へ行き、そこで二種類に進化／退化した人類の末裔にあう。エロイ族とモーロック族だ。優しく文化的なエロイ族は、夜になると獰猛で暴力的なモーロック族に殺される。『タイムマシン』は、だからタイムトラベルＳＦでもあるが、ポストヒューマンＳＦでもある。このエロイvsモーロックの対立は、『ナウシカ』のポストヒューマン同士の対立、すなわち〈身体改造を施された旧人類〉vs〈卵の中で新しい世界に生まれ変わるのを待つ新人類〉の対立へと重ねられる。厳密に一対一対応をするわけではないが、ヒューマン以後のポストヒューマンたちが闘争をするという点は共通している。

『ナウシカ』はポストヒューマン同士の闘争であったが、『ＡＫＩＲＡ』はヒューマンvsポストヒューマンである。『ＡＫＩＲＡ』のラスト、覚醒したアキラの力を使い、暴走した鉄雄とともにアキラを外の世界へ排出する。ポストヒューマンをヒューマンの世界から駆逐する。しかし同時に、金田たち主人公が象徴的にアキラや鉄雄を引き継ぎ、新しい街、新しいトウキョウを作ろうとする。ナンバーズや鉄雄は触媒として、ヒューマンである金田たちを新しい存在へと引き上げる。これはアーサー・Ｃ・クラーク『幼年期の終わり』（一九五三年）のヒューマン／オーバーロード／オーバーマインドの三層構造を連想させる。

日本的ポストヒューマンの誕生

現代の日本でポストヒューマンがトレンドであると冒頭に述べた。そして日本のポストヒューマン像を、今から約四十年遡り『ナウシカ』と『AKIRA』に探ったところ〈ポストヒューマンのパラドックス〉を見つけた。これはSF史的に重要な問題であることが確認できた。ここまで日本のマンガ・アニメのポストヒューマン像をSF史という広い文脈に合流させてきたが、ここからは現代の日本SFのポストヒューマンという、より限定的な対象を考察していく。ヒントになるのが筆者も関わった評論集、限界研編『ポストヒューマニティーズ　伊藤計劃以後のSF』（二〇一三年）で提唱された〈日本的ポストヒューマン〉である。

〈ポストヒューマン〉

・「特異点」を超えた人間が死を喪失するなど、多幸感に満ちている場合が多い。
・人間を広義の情報と捉え、魂＝情報として描く傾向がある。
・キリスト教の思想がバックボーンにある（千年王国主義や復活の思想の影響）。

・アーサー・C・クラーク『幼年期の終わり』『都市と星』の影響が大きい。

〈日本的ポストヒューマン〉

・特異点に向かって無限発展していくというようなタイプの多幸感や、魂をコピーして永遠に生きたり復活するというものは少ない。

・SNSやコミュニケーション、「空気」の中に溶け込んで融解、あるいは接続していくような主体を描く傾向がある。

・欧米と違い、キャラクター文化が異様に強いので、自身とキャラクターとの関係性を融解させがちである（仏教やアニミズムの影響か?）。

・小松左京『果しなき流れの果に』「神への長い道」『虚無回廊』の影響が大きい。

〈日本的ポストヒューマン〉は手塚治虫「火の鳥」の21世紀版としてイメージしていただいても良いかもしれない。ただし、「火の鳥」が未来や宇宙や時間に重点を置いていたのに対して、われわれの論じる〈日本的ポストヒューマン〉は、キャラクターや情報環境に重点が置かれているという違いがある。（五―六）

以上を踏まえ、〈日本的ポストヒューマン〉の特徴として次の三つを挙げたい。

① 無間の生

無時間的、脱生命的なポストヒューマンの生はキリスト教的な天国ではない。むしろ仏教的な地獄だ。無限（infinite）ではなく無間である（六冬和生『みずは無間』）。仏教は手塚治虫『火の鳥』のテーマだ。手塚治虫の仏教解釈がどうのという議論ではなく、手塚治虫の仏教解釈＝表象がその後に与えた影響が重要である。

『ナウシカ』の新人類は、ある種の無時間性に閉じこもっている。『マトリックス』の繭の中身のように、浄化の終わった新しい世界に再び生まれ落ちるまでのあいだ幸せな夢を見ている。しかし、身体改変された旧人類、浄化という任務を強制的に割り当てられたナウシカによって、無理やりに破られた。一方、ナウシカも腐海が広がっていきゆっくりと世界が亡びつつあることを認識し、一人の人間が生きる時間よりも長いスパンで、世界を認識しようとしている。ただし、この「永遠」は決して多幸的ではない。むしろ放射線の被ばく量が蓄積していくような、じわじわと人類そのものの生命が削られていくような、そういった「永遠」である。多幸的というよりも、罰のような罪のような「永遠」。『ＡＫＩＲＡ』ならナンバーズの老化した子供たちの姿は、永遠に子供でい続けることが地獄であること（無間）を体現している。

② ポストアポカリプス

日本的ポストヒューマンを考えるのに小松左京作品を避けては通れない。先の引用で挙げられている三作品は確かに重要であるのだが、小松左京的ポストヒューマンを決定づけたのは、彼のデビュー作である『日本アパッチ族』（一九六四年）である。この作品は岡和田晃がいみじくも指摘した通り、伊藤計劃『ハーモニー』がアップデートしている。(＊4)

小松左京『日本アパッチ族』は大阪にある陸軍砲兵工廠あとを舞台に、新人類の誕生と、私たち旧人類との覇権闘争の記録である。米軍の爆撃によってスクラップになった軍事物資を、掘り出し盗み売りさばく「アパッチ」と呼ばれる集団がいた。戦後の混乱に乗じて、わらわらと集まり貧民街を形成した人たちだ。ここまでは史実なのだが、小松は屑鉄泥棒の隠語「鉄を食う＝盗む」を文字通り「食べる」と再解釈し、鉄を食べ鉄の体を持ち肉体的には強靭になる一方で、人間的な感情を失ったポストヒューマンをアパッチ族として出現させた。戦後、悲願の改憲を行い、死刑が廃止となるのと引き換えに失業者は追放刑に処せられるようになる。語り手の木田福一（キィ公、キイコと呼ばれる）は、追放地となった工廠あとで、人間として生きようとしたが死んでしまった同じ追放刑の山田と、屑鉄を食べることで生きるアパッチ族の両方を見る。極限の飢えに苦しみ、アパッチ族として生きることを決意したキイコが、それから続く日本人対アパッチ族の戦争と最終的なアパッチ族の勝利を、アパッチ初期世代として語ったものが本書だ。エピローグとして木田福一が自身の回想録であることを述べているが、注目すべきはその直後につけられたエピローグのエピローグだ。

「アパッチ史料編纂部後記」と題され「資料《ママ》編纂部「木田手記」発刊小委員会」が付け加えたのは、木田福一の手記の歴史的な評価だ。木田福一自身は「復古主義者」「人間主義者」として粛清されてしまったのだが、初期アパッチ研究のための重要な史料としてその手記を復刊したのだ、とある。「この手記は、一読理解できるように、多くの人間的弱さ、人間的感情の罠にみちている。感傷的であり、自己中心的であり、ときに分裂的にさえ見える叙述は、ひとえに制作者の性格によるものである」とさえ註釈がつく。木田福一の心臓と脳は「まだ完全に鉄化していなかった」（傍点筆者）ようなのだ。ある人物による過去の回顧的な語りを、その理解不可能性への注意書きを添えて歴史的史料として提示する文学的フォーマット（枠物語）は、伊藤計劃『ハーモニー』が踏襲している。〈ポストヒューマンのパラドックス〉を理解可能と理解不可能を並置して表象している。

日本的ポストヒューマンを考えるための小松左京作品に『日本アパッチ族』を外せないというのは、このような理由だ。そしてもちろん『日本アパッチ族』は戦後の廃墟から物語が始まる。日本的ポストヒューマンの小松左京への影響を突き詰めるならば、アポカリプスの後の世界を想像し、廃墟から新しいものを創造することだといえる。(*5)

小松左京のSFでは、日本はそして人類は滅びる。それも一度のみならず、何度も。二〇二〇年からのコロナ・パンデミック下の日本で、書店では小松左京の『復活の日』が並ぶ。東日本大震災が起きたちょうど十年前に、『日本沈没』が並んだことを思い出させる。冷戦構造下で製造されそして流出した新種の細菌・ウィルス兵器によって、人類はほとんど死滅する。南極で生きのびた人類の一部も、地震を核攻撃と誤認した核兵器による自動反撃装置が起動し再び滅ぶ。『日本アパッチ族』もそうだ。一度、滅びた日本国。廃墟の中で突如、誕生したポストヒューマン＝アパッチ族は、日本人と大アパッチ戦争を行い再び日本を廃墟にする。『ナウシカ』は火の七日間、『ＡＫＩＲＡ』は新型爆弾。いずれも文明を崩壊させ都市を破壊する。廃墟から、廃墟こそが、新しいもの、新しい人間、ポストヒューマンを創造する。巽孝之が *Full Metal Apache: Transactions between Cyberpunk Japan and Avant-Pop America*（二〇〇六年）で命名した創造的マゾヒズム（creative masochism）は〈日本的ポストヒューマン〉を生む。

アポカリプスの後は、本来的には存在しない。この世の終わりは想像できない。なぜなら世界はすでに終わってしまったのだから。しかし〈ポストヒューマンのパラドックス〉と同型のこの逆説的状況においてこそSF的な想像力が駆動する。

③ キャラクター化

限界研〈日本的ポストヒューマン〉の特徴の二つ目「SNS」「コミュニケーション」「空気」と三つ目「キャラクター文化」は、キャラ／キャラクター化と括れる。コンテンツ中心ではなくコミュニケーションそれ自体が目的になった空気を読むコミュニケーションは、すればするほど自我が周囲へと溶け出していく。SNSによって自分の行動履歴がデータ化され、次にする行動がリコメンデーションで提示されるとき、私たちは自我の境界がもはや身体の皮膚表面にとどまっていないことを痛感する。円滑なコミュニケーションのために、キャラ／キャラクターが召喚される。キャラクターとは物語の中の登場人物であり、キャラとは自分または他人が自己に貼るラベル、記号的な人間像のことだ。文脈を共有しないものにはカリカチュアにしか見えなくとも、文脈を共有するコミュニティにおいてはキャラ／キャラクター化や、複数のキャラ／キャラクターの使い分けにより、パフォーマティヴに自己をディスプレイする。(*6) 近代的人間であれば、なんらかの参照先、ベルカーブの平均値＝偏差値五〇が存在するのは当然であるが、それが日本の場合だと物語、とりわけサブカルチャーのキャラクターではないか。

『日本アパッチ族』では、もともとは人間であり大阪方言を駆使するアパッチ族が、国会に参考人招致されたときに、キャラクター化されたネイティヴ・アメリカン部族としてのアパッチ語を使う。それを議長にたしなめられたところで、こう言い返す。

「七年半前、私たち、ふつうの日本人だった。だけど、あなたたち、私たちのこと、アパッチと呼んだ。そう呼ぶのは、私たちにそうレッテルはりたかったからだ。私たち、あなたたちがそうあってほしいと思うようになった。この言葉、この服装、すべて、あなたたちがそうであれと思うようなもの——そら、しゃべれちゅうたら、ふつうの言葉でしゃべりまっせ——だから、私たちアパッチとして、あなたたちに礼儀を守っている……」（傍点筆者）

これはアパッチ族自身による、キャラクターとしてのアパッチ化だ。作品が書かれたのが一九六四年であることを考えると、参照先がネイティヴ・アメリカンであることは自然かもしれない。それから半世紀にわたる日本のサブカルチャーの文化的蓄積を考えると、現代の日本的ポストヒューマンは、もっと広大なキャラクターのデータベースを参照しうる。『ナウシカ』も『ＡＫＩＲＡ』も、いまや作品よりもその名を持つキャラクターを連想する。参照されうるデータベースに格納されたのだ。

『ＡＫＩＲＡ』と『ナウシカ』は語られることが多いマンガ作品である。本章では両者をポストヒューマンというキーワードでＳＦ史に位置づけることを試みた。ヒューマンとポストヒューマン、あるいはポストヒューマンとポストヒューマン同士の生存権をかけた対立は、ポストヒューマンの原理的な表象不可能性〈ポストヒューマンのパラドックス〉を、物語的に超克する試みと解釈できる。ポストヒューマン概念を歴史化することで古典SFとの連続性を見出せるが、それと同時に〈日本的ポストヒューマン〉へと着目しその特徴を整理することで、現代日本のポストヒューマン性をも照らし出した。〈日本的ポストヒューマン〉はポストアポカリプスという本来的には表象不可能な廃墟（①）存在である。キャラ／キャラクター化しながらコミュニケーションし（③）無間の生を生きている（②）で、る。小松左京がその種をまいた〈日本的ポストヒューマン〉が、どのような姿に成長したのかは伊藤計劃をテキストに第十章で確認したい。

【註】

（※1）一九八二年はフィリップ・K・ディックの没年にして、映画『ブレードランナー』の公開年。そして私の生まれた年でもある。

（※2）『マトリックス』に結実したサイバーパンク映画の系譜をたどると、ウィリアム・ギブスン「記憶屋ジョニィ」（作品発表は一九八一年、短編集に収録されたのは一九八六年）、この短編を原作にしたキアヌ・リーヴス主演の映画『JM』（ロバート・ロンゴ監督）は一九九五年である。一九八二年という年がまた出てくる。

（※3）『ユリイカ一九八八年八月臨時増刊号　総特集＝大友克洋』（一九八八年）参照。宮崎駿の曲線的な無機物の表現は、有機物／無機物の境界線上を闊歩する《エイリアン》のデザインとつながるものがある。

（※4）岡和田晃「「伊藤計劃以後」と「継承」の問題――宮内悠介『ヨハネスブルグの天使たち』を中心に」限界研編『ポストヒューマニティーズ 伊藤計劃以後のSF』所収。

（※5）宮崎哲弥『いまこそ「小松左京」を読み直す』（二〇二〇年）では、小松左京の発言を次のようにまとめている。「一切の既存の価値が落剝してしまった「廃墟空間」では、すべてを等価なものとして並列できる。およそ日常的には懸け離れていると感じられる概念同士であっても、「廃墟空間」ならば、その二項の関係を単なる「距離」や「量的」差異に還元して捉えることができるというのです。」これは「地には平和を」を論じた箇所だが、本論に寄せるならば、廃墟空間とはポストアポカリプスのことであり、等価とは言葉の字義的な意味と比喩的な意味を接続することだと解釈できる。

（※6）キャラ／キャラクター論はさまざまあるが、土井隆義『キャラ化する／される子どもたち――排除型社会における新たな人間像』（二〇〇九年）を参考にした。

第二部　機械化する自己

POSTHUMAN

第四章　グレッグ・イーガンとオウム真理教
——超越性を超越できない人間の人間らしさについて

第一章と第二章では、異質な他者であるエイリアンとの遭遇を通じ、人間がポストヒューマンになる物語を取り上げた。続く第三章で、ポストヒューマンは理論的には構想可能だが現実的に表象が困難であるという〈ポストヒューマンのパラドックス〉に物語的な解決に挑戦した結果がヒューマンとポストヒューマン、あるいはポストヒューマン同士の対立だと結論した。さらに〈日本的ポストヒューマン〉の諸相も検討した。

エイリアンを媒介にポストヒューマンを考えるのは「変化球」である。〈人間を生物学的な基盤をもつ存在とみなし、この生物学的な物質基盤にテクノロジーで働きかけ生まれた、従来の人間がもっていた制限を超えた人間以後の存在〉とポストヒューマンを定義したが、探索すべきは外宇宙ではなく、自己の身体、体内という小宇宙である。前掲書『トランスヒューマニズム』で紹介されている事例は、人体冷凍保存や、頭や皮膚にチップを入れることだ。機械部品を体内に移植するサイボーグ化は、現時点では残念ながら亜流のパンクファッションの域を出ず、たとえばスマートフォンのようにその出現により社会構造を変えるほどの影響力をもつには、まだ超えるべき技術的課題がいくつもある。とはいえ、人間以後の存在を夢想し、自己の身体にテクノロジカルな改変を加えようとする思想は間違いなくポストヒューマニズムだ。当然と言えば当然だが『トランスヒューマニズム』にはエイリアンの話は全く出てこない。人間への直接的な介入こそがポストヒューマンへの近道である。

技術的な介入は身体を通じて行われる。ただし人間のソフトウェアたる精神は、ハードウェアである身体の上を走っているので、身体を媒介にしてテクノロジーの影響は精神にも及ぶ。この精神／身体の二項対立と両者の関係性に、第二部では焦点をあてていく。

この章でとりあげるのはオーストラリアのハードSF作家、グレッグ・イーガンである。イーガンのSFには身体への直接的な働きかけが可能になったがゆえに生じる精神的葛藤や苦悩が描かれる。人間精神の入れ物であり、そのために精神活動を制限するものであった身体を程度の差はあれ自由に制御できるとき、ポストヒューマンへと至る道は示されるように思える。だが、この道は決して平坦ではない。人間以後の存在であるポストヒューマンが人間的な悩みに苦しむのはおかしいかもしれない。彼ら彼女らは本当にポストヒューマンなのであろうか。

現代ハードSFの旗手グレッグ・イーガン

二〇世紀の終わりから刺激的な作品を発表しつづけているオーストラリア人作家のグレッグ・イーガンは、現在を代表するハードSF作家の一人だ。イーガンのSFには複数の作品に共通して登場するガジェットやテクノロジーがあり、彼の作品群はそれらにそって大まかに分類できる。

イーガンの作品を大きく二分しているのが、仮想現実と量子論的宇宙という二つの世界像だ。

前者は、たとえば『順列都市』（一九九四年）が代表だ。人間の意識をコンピューター上に再構築するとどのような問題が生じるのかを徹底的に突きつめる。物質的な臓器でありつねに劣化の可能性にさらされている脳から、人間の意識がコンピューター上に吸い出され「コピー」として保存されると、人間が長らく前提としていたオリジナル／コピーという階層秩序は完膚なきまでに破壊される。なぜならコンピューターの世界ではシミュレートすることが実行することと同じであり、コンピューター上に再構築した人間の意識は、オリジナルに劣ったものとして再現前するのではなく、オリジナルとまさに同じ機能をもったものとして現れるからだ。いやそもそも、オリジナルと同じ機能を再現することが、コピーの意味だったはずだ。「パラノイア」SF作家フィリップ・K・ディックはコピーのコピー＝シミュラクラにおびえ、どれが本物かわからない（あるいは本物なんてない）偽物に囲まれた世界を恐怖とともに描いたが、イーガンの仮想世界は「すべてが本物」といってよい。データが実体なのだから。

　もっとも物語はそこまで単純ではなく、オリジナルの階級によってコピーにはそれ相応コンピューターの計算能力が割り当てられ金持ちほど速く計算されるという設定が『順列都市』にはある。この設定＝制限は非常に面白い。課金量によって受けられるサービスが変わるのは現代的で理解しやすい。

　オリジナル／コピーを扱ったイーガンの傑作に「ぼくになることを」がある。この短編には、脳が物理的に損傷したときにバックアップとして働く「宝石」というガジェットが登場する。人間の頭の中に埋め込まれた「宝石」は、オリジナルの脳の横で人間の意識を模倣／実行し続ける。そして人はあるときオリジナルの脳から宝石へとスイッチし脳を取り除く。脳はもはや特権的な場所からひきずり降ろされる。

　もう一つの世界像である量子論的宇宙とは『宇宙消失』（一九九二年）に端的に現れる。観測されることで初めて確定される量子の振る舞いが、根本原理とされるこの世界。量子が存在するために観察されなければならないのであれば、観察する視線が届かない世界はどうなるのか、いくつもの可能性が同時に想定されるとき、一つの世界を観察し確定するとはどういうことなのかと問いかけられる。

　ここで取り上げるのは、直接に仮想現実（VR）世界が登場するわけではないが、それに連なる作品だ。仮想現実世界に自己のコピーを配置することを可能にするそもそもの発想、すなわち身体と精神をもった人間を情報化できるという思想が根底にある二作品「しあわせの理由」と「祈りの海」を読んでいく。

人間を身体と精神に分け、身体は物質的なモノとして、精神を複雑な電気信号の総体と考える。身体は単なるモノであるので、分解していけば物質とその組み立て方という設計図にたどり着き、3Dプリンタなどの機器を使って再生可能である。また、精神はどんなに複雑であったとしても結局のところは0と1からなる電気信号であるから記録可能であり、記録可能であれば再現可能である。このとき、再現された意識は、再び現れる（re-present）のではなく現前している（present）のだ。

しかしことはそれですむ訳ではない。ひとたび精神／身体が物理的に記述可能になると、同時にそれは改変可能なものとなる。イーガンはインタビューで次のように語っている。

人生に対する敬意や、「闇の奥」や、性の認識や、そういったなにもかもは、脳の中に物理的なかたちでコードされているのであって、いずれ人間はそこに手を伸ばして自在にそのすべてを変えられるようになる、ということだ。（「無限大から逆に数えて」『SFマガジン』一九九九年一一月号所収）

人間がコードとして表現できるというのはかつてないほどに身近にリアリティをもって感じられる。野望として掲げるＩＴベンチャーの企業家・思想家はいるが、まだコンピューター上に電気信号としての脳を（再）構築するには至っていない。しかし、パーソナルな情報をデータ化し、ウェブサービスとSNSにどんどんアップすることは、多くの人にとって当たり前となっている。そのデータを見ながら自分を確認し、そしてデータを修正加工しながら、自分のアイデンティティを形成してくとも、また当たり前になっている。これは非常に再帰的／自己内省的（self-reflective）な振る舞いだ。人間を一個のコンピューターに見立て、インプットとそれに対する反応、そしてアウトプットという一連の行動を情報処理とみなす発想は、認知科学的でもある。認知科学を観察者という中立的・客観的な立場としてではなく、観察者にして被験者という立場でとらえるのが、イーガンSFの登場人物たちだ。

コードとして表現された人間（自分）を加工するというのは、そこからほんの一歩進んだだけのことでしかない。イーガンの言っていることも十分に理解できるし、なんならすでに実践している人もいる。イーガンが抱いているテクノロジーへの楽観主義は、しかし、彼の物語の複雑さを生み出す。イーガンのSFは改変可能な物理的コードといった単純な枠には収まらない。

超越性＝無意味性に人間は耐えられるのか――「しあわせの理由」

一人目のポストヒューマンとして取り上げるのが「しあわせの理由」（一九九七年）に出てくるマー

クだ。彼は脳内から出る快／不快をつかさどる神経伝達物質を自分でコントロールできるようになる。

子供の頃、脳にできた致命的な腫瘍のため命の危険にさらされながらも、その影響でロイエンケファリンというエンドルフィンの一種（モルヒネやヘロインと同種の働きをする）で脳内が満たされたマークは、しあわせに包まれていた。新方式のウィルス療法によって腫瘍を取り除くことに成功するが、同時にしあわせを伝達する神経物質の受容体まで根こそぎ失ってしまう。以来、彼は激しい鬱状態での生活を強いられる。

手術から十数年後、三十歳となったマークは病院からの補償金で生活をしていた。そんなある日、失われたニューロンの役割を再生させるポリマー発泡体を脳神経の損傷部位に注入する新しい治療法を知る。

ポリマーが形作る初期状態の神経ネットワークは、データベースから取り出した四千人分の神経ネットワークの記録を元にする。写真の多重露出のようにマークの脳に移植し、そこから刈り込みをして最終的にマーク「独自のバージョンを作りだす」（三八五）のだと医者は説明する。

しかし、マークの脳の中でかすかな記憶をとどめる無傷の部位とポリマーが形作った義神経は、期待通りに結合しなかった。そのため、マークは移植された四千人分の神経をすべて重ねあわされたものとして経験し、あらゆる美術品、音楽、食べ物に至高の幸福を感じることになる。

もとの状態に戻してもらおうかとマークは悩むが、義神経が与える「普遍的幸福感と普遍的不安感」

を自身の手で調節する術があると知り、試すことを決意する。それは脳内にコントロール・パネルを仮想構築するというものだった。こうしてマークは、理想の体形、食べ物や音楽の好み、オナニーの気持ちよさ、性欲の強さ、そしてヘテロかバイかというセクシュアリティまで操作できるようになる。手術前は、マークの残存する神経細胞に義神経の刈り込みを期待していたが、それができない今、マークが意識的に刈り込みをするのだ。

腫瘍を摘出して以後の彼は、神経の損傷のため個人的な好みをもつことが不可能であり、コントロール・パネルを用いてAをBより好ましいものと設定することはできても、そう設定する動機を完全に失っていた。コントロール・パネルのおかげで日常生活に復帰し本屋の仕事を得たマークだが、心の中は満たされていない。彼は店番をしながら、「ごくささやかな興味がたがいの心をよぎるとか、ぼくにもひとりの人間をほかのだれよりも好きになれるというわずかな徴候が見られるとかいったことを」(四一三) 期待していたのだが、ついぞそのような瞬間はこなかった。

マークはやがて、一人の女性を好きになることを「決める」。自分が誰かを好きなことに根拠はない。根拠を与えるとしたら、それは超越的なものとなる。「運命の恋」という俗な表現があるのは、恋の無根拠性を運命という超越性にもとめることが広く共感されるからだ。しかし、人間が、好き/嫌い、快/不快という感情に物質的な根拠を意図的に与えることができたらどうなるのか。運命(神)は超越的な座から転げ落ち、かわりに人間がその場所を占める。果たして人間に神が務まるのか。ある女性を好きになるマークの決断は、彼女に受け止めてもらえるのか。受け止められないとき、マークは好きになることを選んだ自分の決断を、自分で受け止めることができるのか。ポストヒューマンであるにもかかわらずマークは苦悩する。

ポストヒューマンは苦悩とは無縁ではないのか。苦悩するマークはヒューマンなのか。マークの苦悩は、彼独自の、ヒューマンにはありえないポストヒューマン的な苦悩だ。しかし同時に人間的なものでもある。

科学的根拠vs超越的信仰心——「祈りの海」

二人目のポストヒューマンは「祈りの海」（一九九八年）のマーティン。彼は篤い信仰心をもつ。地球の植民惑星コヴナントを舞台にした「祈りの海」は、揺るぎない宗教的信仰が、実は儀式の結果体験する科学的に説明可能な生化学現象でしかないと、信心深い科学者によって暴かれる様を描いた物語だ。

海上に船を浮かべ暮らしている海人であるマーティンは、子供の頃、兄ダニエルの手ほどきで、海中深く自分の限界まで体を沈める〈儀式〉を経験し、聖ベアトリスの圧倒的な愛を感じる。「満ちたりた気分が大波のようにぼくを洗った。小さな子どもに戻って、母さんの両腕でしっかりとだきしめられている気分」になったマーティンは「自分をおとずれた不思議な幸福感に驚いているのだった」(三七六)。以来マーティンはベアトリスの愛を自らの行動原理とする。その一点を譲らない限り彼はどのようなものであれ議論の対象とすることができた。

たとえば、結婚相手を選ぶとき。マーティンの理想の伴侶は、「哲学的な意見の相違から一夜で引き裂かれるのではなく、生涯それを議論しつづける」(四一二)相手だ。彼はその可能性を陸人・レナの中に見ようとする。惑星コヴナントの人間は、入植初期に身体へ調整が加えられており、性行為をすると、男性から女性に「橋」と呼ばれる性器が受け渡され、性交後に男と女は入れ替わる。だからマーティンにとっての父は、「ダニエルにとっては母さん」(四〇一)という但し書きが付く。生まれて初めて橋のやり取りをしたあと、厳格な宗教的倫理観をもつマーティンはレナに結婚を迫る。レナは、マーティンの信じる貞操概念がそもそも現実的ではないと切り返す。マーティンは自分とは価値観の異なるレナも、超越的なベアトリスの愛を通じて、理解しあえると信じていたのだ。残念ながらレナの共感は得られなかったが、マーティンの信仰心は少しも揺らがなかった。

たとえば、宗教の科学的説明を聞くとき。マーティンは惑星コヴナントに入植した「天使たち」のテクノロジーを解明しようと、陸にある大学に進学する。そこで宗教の言葉ではなく科学の言葉で行われる惑星の起源をめぐる非公式の討論グループに参加する。ベアトリスの愛を真実であると信奉しているマーティンには、科学を唯一のものではなく、ひとつの合理的な説明体系として受け入れる余地さえある。彼の中では科学的言説も宗教的教義も、すべては信仰の核から派生したベアトリスの愛を説明するものでしかない。これは聖書根本主義者が進化論を創造説と同列の「科学的仮説」の水準に置くことと似ている。マーティンには、平均的な信者なら激怒するような考察を聞いても、冒涜とは思わない。「ぼくは冷静にその話をきき、そこにいくらかの真実が含まれているかもしれないという可能性を楽しんでさえいた」(四一九)と余裕をみせる。

とはいえ、このようにベアトリスの愛が揺らがない範囲で許容した科学は、結果として徐々にマーティンの信仰を外側から削っていく。

ベアトリスの愛から生まれた宗教体系に対する不信感がもっとも高まったのは、マーティンが母の死に直面したときだ。入植者は惑星をテラフォーミングし、土着の種と人間の両方の遺伝子に改変を加えることで病気を抹消していたが、植民から数万年後である現在、人間の遺伝子は突然変異し、人はさまざまな病を「発見」するにいたる。科学者ではなく宗教者としてのマーティンは、偶然の病にもベアトリスの意志を見出す。ところが、熱心な信者でなかった母もベアトリスの愛に包まれると兄が言ったとき、マーティンは激しい嫌悪感を覚える。究極の目的であるベアトリスが、自らの痛みを和らげる手段に成り下がっているのを目の当たりにしたからだ。

とどめに、マーティンの信仰の核にあったベアトリスの愛が、その超越性を剝奪されたのは、科学者として参加した学会で惑星創世についての発表を聞いたときだ。

マーティンは研究者として、惑星固有の海洋生物ズーアイトがテラフォーミングの結果、海底から海面近くへと生存圏を移したことを証明していた。ズーアイトが排出する老廃物に麻薬と同じ効用があることが、別の研究者の手によって明らかにされるのを学会で目撃する。マーティンが理屈で説明できないと長らく思ってきた神への絶対的信頼は、なんのことはない、テラフォーミングの副産物であると科学的に説明されるのだ。

かくして、彼が無条件に前提としてきた超越的神性は、科学的因果関係の網の中へときれいに回収されてしまう。「人が神に対してとる態度は、理屈で説明できるものではない。そこにあるのは信念だけだ。そしていま、ぼくは自分の信念の源が、無意味な偶然、環境創世の予期せざる副産物だと知っている」(四三四)と、とうとうマーティンは認めざるを得ない。

もちろん、信仰心を完全に打ち砕く科学的発見に直面したマーティンは、自身が認めるとおりベアトリスをさらに盲目的に信仰するということも選択することができた。しかし、彼はそれを選ばなかった。彼が隠し持ってきた二重標準は、これ以上の欺瞞に耐えられなかったからだ。行動原理であり、決して疑い得ない聖ベアトリスへの愛が、その超自然的で超越的な絶対的信仰の地位を放逐され、特殊な条件下における生化学的現象であると認めるとき、信仰者マーティンは生きる意味を見出せなくなる。

物語の最後、マーティンは教会の掃除夫に、こう尋ねる。

「あなたは神を信じていますか？」［…］
「子どものころは信じてた。だが、いまは違う。神ってのは、なかなかいい思いつきだが……まるで意味をなさん」（四四七―四四八）

「まるで意味をなさん」と掃除夫は言うが、意味を与えてくれるのは神の領域ではなかったか。科学は「どうして」を説明するが「なぜ」には原理的に答えられない。科学が答えられないために信仰心が満たしてくれた「なぜ」だったが、科学が信仰心の土台を崩したために「なぜ」をもはや宗教でさえ満たせなくなったのだ。

この物語を、合理的科学が盲目的宗教に囚われたマーティンを覚醒させる改宗体験記と読むことは可能である。しかし、それだけの物語ではない。イーガンが可視化した問題は、意味をめぐるものだ。人間の人生に意味を与えることを期待されていた宗教体系が科学的に記述可能であると明らかにされた科学的言説において、人間はどうやって自らの生きる意味を、単なる生存と種の保存以外に見出すのか。

水生プランクトン・ズーアイトの老廃物に含まれる多幸症状を引き起こす物質は、この惑星の人間、とくに海に住む人間である海人の体に深く影響を与えている。〈儀式〉を体験したときはおろか、海で泳ぐとき、あるいは脳がベアトリスの愛を必要としたとき、たとえズーアイトの老廃物にさらされていなくても幸福感を体感できるほど､ズーアイトの影響は強い。ナチュラルなドラッグ依存症である。多幸物質に支配されている海人マーティンが最後に見せるのは、物理的に規定された宿命に抵抗する人間の姿にほかならない。

マーティンがリーダーを務めるズーアイトの多幸物質研究プロジェクトは、民俗学的フィールドワークも行なっていた。あるとき、彼は異常発生したズーアイトが打ち寄せられたと報告があった海岸に足を運ぶ。そこで彼が見たのは、インチキ預言者が金を受け取って多幸物質入りの海水を人々に浴びせている姿だった。

マーティンは、預言者と列をなす客に向かって「〝聖なるもの〟なんてなにもない！　ここには麻薬があるだけ」（四四四）と真実を告げる。そして、海に体を浸したが故に自身もベアトリスの愛を強く感じ、「ぼくに信念をとり戻させないでください」（四四四）と祈りながら、生化学的に規定されない人間の意志の力を宣言する。

「麻薬はここにだけあるのではない。水の中にだけあるのでもない。それはいまでは、ぼくたちの一部分だ。それはぼくたちの血の中にある。［…］だが、あなたがそのことを知ってさえいれば、それはあなたが自由だということだ。あなたの心を興奮させるなにもかもが、あなたを高揚させ、心を喜びで満たすなにもかもが、あなたの人生を生きる価値のあるものにしているなにもかもが……偽りであり、堕落であり、無意味であるという可能性に面と向かう気がまえがありさえすれば――あなたは決して、その奴隷になることはない！」（四四五）（傍点筆者）

マーティンの「独立宣言」ともいえるこの発言には、科学が記述することを試みるもののすり抜けていく自由意志をもった人間像が保存されている。この言葉は「しあわせの理由」のマークが言ってもおかしくないくらい、両者の苦悩は共通している。この超越性、マーティンの言葉で言うなら自分の人生の意味が「無意味であるという可能性」に、果たして人間は耐えることができるのか。「祈りの海」も「しあわせの理由」もこの問いについてオープンエンドにしている。

人間の自由意志や超越的な信仰心は、物理的に記述できる土台からすり抜けていく。精神／身体の二項対立で、どれほど科学が身体を記述しようとも、精神を身体的＝物質的にコードとして記述しようともつねにすでに精神の逸脱が起こる。多幸物質ズーアイトが信仰心の物質的根拠だと指摘しようとも全員が神を捨てるわけではない。物質的な証拠では、神への信仰という超越性を突き崩せない。

同じように、自由意志という超越性も物質的証拠では突き崩せない。マーティンは神への信仰を捨てた。そして自由意志という別の超越性に鞍替えをしている。「無意味であるという可能性に面と向かう気がまえがありさえすれば」意味があるというレトリックは、どんなに物質的に規定されようともそれを知っている自分、それをメタ認知できる自我は、その物質性から超越しているという意味である。人間の生化学的な限界を知ることと、それから自由になることは本来的には別の話だ。しかし、あえてなのか、それとも希望をこめてなのか分からないが、知ることと自由になることとを接続する欺瞞が隠されている。

精神は物質に規定されている。ゆえに物質的に精神を記述しなおすことはできる。では、記述しなおす「私」とは誰なのか。ポストヒューマンの苦悩は、極めて自己言及的であり、ポストヒューマンどころかポストモダンの主体の苦悩、極めて人間的な苦悩である。「しあわせの理由」と「祈りの海」を精神と身体の二項対立を軸に下の表のように整理した。

人間的、あまりに人間的なポストヒューマン

科学的理性によって超越的信仰心が解体された後に別種の超越性をもった自由意志なるものが、どうして再び人間の中に生まれてくるのか。

この謎を考えるのにリチャード・ドーキンス『利己的な遺伝子』（一九七六年）が参考になる。人間を含む生物を遺伝子の乗り物とみなし、自らの遺伝情報を最大化するこ

SF	疑問詞	イーガン	マーク	マーティン
虚構（フィクション）	なぜ？（意味）	精神	自由意志	神への愛
科学（サイエンス）	どのように？（機能）	身体	義神経	ズーアイト

とが生物の目的だと看破したこの本は、しかし人間の「自由意志」については、こう述べている。「この地上で、唯一われわれだけが、利己的な自己複製子たちの専制支配に反逆できるのである」（三一一）。ここで人間という生物は二層に分離している。〈遺伝子の支配を受けない層＝自由意志〉と〈遺伝子の支配を受ける層〉の二層に。

啓蒙主義と、啓蒙主義を背景に成立した近代科学は、それまでの演繹的世界観から帰納的方法論を洗練させていく過程で、超越的な神の手ならぬ超越的な科学者の手を導入せざるを得なかった(*1)。結局、科学的な帰納法による完全なボトムアップでは到達できない遺伝子の支配を受けない層（自由意志）が存在する。

「祈りの海」のマーティンたちはポストヒューマンである。惑星コヴナントに入植した人類。この人類はデータとして入植船のコンピューター上に保存され、惑星をテラフォーミングすると同時に、人間のデータにも改変を加え、入植可能な身体にしてから物質化している。だから本来は病気にならないはずだし、性交のたびに生殖器が文字通り体から体へと移動するというのもこの改変の結果だ。人間の身体と精神についてのデータと、それを物質化するプリンタ機器のみを搭載した移民船は、考えられ得る限りコンパクトにした宇宙植民だ。

このようにデータとしてコンピューターを経由し、人間が自らの身体に物理的改変を加え、人間のもつ限界を超えた人間以後の存在に至ったマーティンはポストヒューマンだ。また「しあわせの理由」のマークも。

しかし、マーティンとマークが物質的・身体的に人間以後の存在だとしても、自由意志と超越性の問題は解決されていない。神かあるいは近代的合理人としての人間の自由意志か、形は問わず何がしかの超越的なものを人間が必要とすることは、人間の人間らしさ、すなわち人間性＝ヒューマニティの結果と考えてよい。確かに身体的には人間を超越した。しかし超越的なものを必要とするという意味で人間性は克服できていない二人は、やはりまだ人間なのだ。

マーティンもマークも、自分の人生の無意味性に気づき、それに向き合い生きていくことを決める。しかし誰もがこの無意味性に耐えられるわけではない。「祈りの海」の宗教的な信仰心が、ドラッグという物質によってもたらされているというのは、何もSFの中だけのことではない。古今東西、いくつもの宗教はドラッグを儀式の中で用い信者の信仰心を高めてきた。日本の近年の例でいえばオウム真理教がそうだろう。

江川紹子『「カルト」はすぐ隣に』（二〇一九年）はこうまとめている。一九八〇年代の物質的豊かさの裏で疲弊していった精神をいやすために、霊的なものをもとめた若者たちがオウムの扉をたたく。修行や儀式の一環でドラッグを使った神秘体験を与えられ、ハッキングされた状態の身体に教祖の思想が吹き込まれる。

霊的なもの、非科学的なものをもとめたはずなのに、たどり着いたところは科学的な設備が十分に整い、幻覚剤から毒ガス兵器まで製造が可能な集団であった。もちろん、彼らの科学がサブカルチャーや幼稚なファンタジーにまみれていたのは多くの人が指摘しているところだ。とはいえ、幻覚剤やサリンを製造するには科学的でなければならず、インテリ・高学歴信者の中で霊的なものと科学的なものが奇妙な混在をしていたことは興味深い。「祈りの海」の惑星コヴナントでは、入植時の高度なテクノロジーは消失し、過去の科学は今では宗教的な用語を用いて語られている。

聖なる書物によると、地球の海には嵐が吹き荒れ、危険な生物で満ちていたという。しかしコヴナントでは、海はおだやかで、天使たちは環境創世の際に、自分たちの死ぬべき定めの化身に害をなすようなものは、なにひとつ創らなかった。四つの大陸と四つの海は等しく快適な環境に改造され、女と男は神の目からごらんになれば区別がないように創られ、海人と陸人も同様だった。（三九四）

マーティンたち研究者は、宗教的修辞を字義通り受け取り、科学的に再解釈することを試みる。宗教体系と科学体系をシームレスにつなごうとしている。この宗教／科学の混在は、オウム真理教に集った悩めるインテリ科学者たちの状況と似ているのではないか。ただしそれぞれは異なる道を進んでいくのだが。

物質的・身体的・科学的にボトムアップしたところで、つねにすでに超越性・自由意志はすり抜けていく。空座に何が入り込むかは異なるものの、何かが入り込むことは確かだ。グレッグ・イーガンは現代的なポストヒューマン像を的確にかつわかりやすく描出した。だがイーガンのポストヒューマンがもつポスト性、つまり人間以後の存在の「以後」が意味するものは、どこまでも人間らしく見える。それは作家イーガンは人間であるからと言ってしまって良いのか。ポストヒューマンをヒューマンが理解できない〈ポストヒューマンのパラドックス〉は、表象の不可能性へと変換されている。とすればポストヒューマンがヒューマンな葛藤をする振る舞いが、ポストヒューマン表象の鍵となる。

超越性をどこかに求める人間の人間性（人間らしさ）を超越したポストヒューマンは、どこにいるのだろう。いたとして、果たして表象可能なのか。どうやら、まだほかのＳＦ作品を読んでいく必要があるようだ。

【註】

（※1）鷲津浩子『時の娘たち』（二〇〇五年）参照。

第五章　二十年後のマトリックス

――サイバースペースは身体から精神を解き放つのか

哲学的な野望、脱身体化

映画『マトリックス』一作目が発表されたのは今から約二十年前の一九九九年。世紀末も世紀末。最新の映像技術と、ダークな世界観とが時世に絶妙にマッチしてビッグヒットとなった。その後『マトリックス　リローデッド』（二〇〇三年、以下『リローデッド』と表記）、『マトリックス　レボリューションズ』（二〇〇三年、以下『レボリューションズ』と表記）の三部作となった（三部作やシリーズを示す場合は《マトリックス》、仮想現実世界を意味する場合はカッコなしでマトリックスと書き分ける）。《マトリックス》が世界的なヒットとなった理由はどこにあるのか。二十年後の今、《マトリックス》というテクストを読み直したい。切り口はポストヒューマンを目指した脱身体化（disembodiment）である。

脱身体化とは、精神／身体の二項対立において、精神を徹底的に抽象化し、生物的な限界＝制限を課す身体から解き放つことだ。脱身体化するのは魂である。あるいは、精神、理性、本質……名前は何でもよいが、精神／身体の二項対立でつねに前者であり、プラトン以来の西欧哲学の伝統で本体とされる、とらえどころのない、それゆえに崇高なる人間存在の本質とみなされてきたアレである。脱身体化は、西洋哲学の伝統における（隠れた）野望でもある。デカルトが「我思う故に我あり」と言ったとき、客観的世界を観察しうる理性的な主体として考える我を想定したが、客観世界からのどんな幻惑にも決して惑わされない純粋に思惟する主体というのは観念的なものでしかありえない。脱身体化した論理的な魂がそこにある（とデカルト的に信じられる）。ただしこの精神／身体の二分法自体は、デカルト以前・以後ではっきりと切断されるわけではない。以前も以後も連綿と続く思想である。かつてであれば哲学者による観念的な議論の対象であった脱身体化は、今や科学者・研究者の研究対象となり、単なる哲学的な思考実験を超えて、フィクションの背景やガジェットとして私たちの日常に溶け込むようになった。果たしてテクノロジーは哲学者が夢想し続けてきた脱身体化を可能にしたのか。この問いをSFを読むことで考えることができるようになったのが二一世紀の現在である。

この章の前半では《マトリックス》以前の脱身体化SFを取り上げ、脱身体化のプロセスとゴールを抽出する。後半で《マトリックス》を詳しく分析していく。

「中の人」問題──サイバーパンク前史「接続された女」

SFの脱身体化をジェイムズ・ティプトリー・ジュニア「接続された女」（一九七三年）から語りたい。ジェイムズ・ティプトリー・ジュニアがまだ「男性」だった一九七三年に発表され、翌一九七四年にヒューゴー賞を受賞した本作。広告の禁止された世界で、身体と精神を切り離すテクノロジーを女性の身体を舞台に描いている。今読み直してもそのヴィジョンは古びることはなく先見の明に満ちている「予言の書」ともいえる（なおティプトリーの複雑な作家キャリアやその他の作品については第八章で詳述する）。

SFを単なる未来予想の書とだけ考えるのは、SFがもつ同時代への批評性を矮小化する可能性があり、かつ未来予想が「外れた」としても批評性を失わないことも十分にありえるため、私個人としてはあまりやりたくはない。それでも、昔のSFを読み直していると、「これ、二一世紀のリアリズムだよな…」と思わず唸ってしまう作品があることも、また事実である。SFが鋭い同時代への批評精神で書かれた場合、その時代が必然的にもたらす未来も時代の延長と考えれば、十分に「予言の書」足り得るともいえる。

具体的にどう予言的なのか見てみよう。

物語の舞台となる未来世界では広告活動は禁止されている。必要最低限のモノそのものを提示する以外、あらゆる過剰な広告活動は認められない。「製品の合法的使用でない方法による、販売促進を目的とした表示」（一六八）は違法とされる。〈押し売り防止法〉は、「製品の正当な使用または店内販売のさいにのみ見える、製品のそのものの表面または内部への表示」（一六九）だけしかしてはならないと規定する。四文字言葉ならぬ「二文字言葉」として広告（ad）という単語は口にするのもはばかられている。〈押し売り防止法〉は広告活動が過剰になり人々を大混乱に陥れた反動として制定された。そんなバカなことはあるか、と思われるかもしれないが、かつて禁酒法という法律をもったアメリカのことだ、なくはないかも……と思わないだろうか。

一切の広告が禁止されようとも企業はモノを売らなければならない。広告が使えないなら、どうするのか。ステルス・マーケティング、いわゆるステマである。ステルス・マーケティングとはそれ自体が広告であることを言わずに広告の機能をもつ宣伝活動のこと。わかりやすい例だと、影響力のある人物、たとえば芸能人やインフルエンサーに企業がお金を払い、宣伝したい商品を使ってもらう。その人物は、広告費をもらっていることは公にせず、あたかも自分でその商品のよさに気づき商品を紹介したくなり、ブログやらSNSやらで「自発的に」発信をする。ほかにも開店したばかりの店にお金を払って客を並ばせることもステルス・マーケティングの一種とされる。「接続された女」では、インフルエンサーによる商品のアピールが、禁止された広告の代わりに主流な宣伝方法として用いられているのだ。

主人公P・バークは、セレブリティ／インフルエンサーである「神々たち」に熱烈な憧れを寄せる女。彼女は醜く誰からも愛されない。そんな彼女が自殺未遂の果てに、ある特殊なスキルをもっていることが明らかにされる。彼女は、頭に神経ケーブルを接続し、自分とは異なる別の身体をリモートコントロールする才能があるのだ。リモートコントロールされる外身の身体は、デルフィと名づけられた絶世の美女。彼女の美は遺伝子レベルで作り込まれ、一方、彼女の精神は遺伝子レベルで切り取られ、精神を欠いた植物人間と形容される。

P・バークに与えられた任務。デルフィの「中の人」になり、セレブリティとして広告活動に従事すること。バーク／デルフィは驚異的な魅力を放ち瞬く間にセレブリティの世界を登りつめる。次に彼女が登場したのは大衆向けホログラム番組（通称ホロ）だ。ここで出会ったのが、ポール・アイシャム。父が経営する会社GTXはバーク／デルフィのプロジェクトの黒幕であるが、ポールはそんなことは知らない。御曹司の彼は撮影現場で知り合ったデルフィ（中の人はバークだ）に恋をする。デルフィもポールに。いや、バークか？

やがてポールはバーク／デルフィが操られていることに勘づく。彼の勘はそこそこ正確で、犯罪者の矯正に使われるPP電極（頭に電極を埋め込み、電気信号で行動を制限・管理する技術）がデルフィに行われたのではないかと考える。まさかデルフィの頭の中身全部がバークによって遠隔操作されているという真実までは想像できなかった。

勘違いしたまま怒りに狂ったポールは、バークのいる研究施設に乗り込む。そこで、カラダ中からケーブルを突き出したデルフィの本体バークが「ポールあたしのポール！」と寄ってきたところをなぎ倒し、彼女を殺してしまう。バークが死ねばデルフィの中身は空っぽだ。ポールは結果として彼の愛するデルフィを失ってしまう。

バーク／デルフィの関係性は、男性名を名乗った女性作家ティプトリーのライティング、ネット上で性別を偽る行為、作られた外見／操る中の人というVTuberといったさまざまな具体例を連想させる。かつてであれば、性別、あるいはもっと広くアイデンティティを偽ることは、ライティング（書き物）でせいぜい見られたぐらいだが、最近ではテクノロジーの発達により、ライティングがオンラインを含むあらゆるところに染み出している。それにライティングだけではなく構築可能性の高い媒体（動画・音声）も数々、登場している。

私たちは、身体というハードウェアに、脳にあるとされる意識というソフトウェアが入り、中身が外身を操作しているという感覚をもつ。もちろんこの感覚は感覚でしかなく、科学的に「意識から身体」という順で電気信号が流れているのかどうかは別問題である。いくつかの研究によれば、自由意志の発生は身体の動きよりも「遅い」らしいのだ。ともあれ、ここではその話は置いておく。確認したいのは、中身が外身を操作しているという感覚だ。「接続された女」では、「リモート」や「ウォルドー」と呼ばれている。(*1)

ティプトリー「接続された女」の未来予見性＝同時代批評性は三つある。まず①精神と身体、中身と外身の乖離による「中の人」問題の前景化、②広告活動の禁止と、結果として生じたインフルエンサーを使ったステルス・マーケティングの一般化だ。「中の人」問題と広告の禁止は実は同根だ。どういうことか。

そもそも広告とは、商品というモノを代理する抽象的な記号表現である。モノの本質を抽出しモノをよく表すが、しかし決してモノそれ自体ではない表象＝再現前（re/presentation）のことである。広告を禁止するとは、物質からつねにすでに乖離し、シニフィアンという記号世界へと浮遊していこうとする表象を物質そのものへと止めようとする試みだ（もっともこの試みは絶望的な試みなのだが）。商品から広告が生まれること、物質から表象が剝離することを引き留めたところで、それを使うインフルエンサーが自分たちの身体を記号化して商品に意味を付与する。広告が禁止されていない現代社会においても、コモディディ化した商品があふれる現状で、AというモノがBというモノよりも優れていると感じるのは、あこがれる芸能人がAを使っているからという理由に「もっともらしさ」を覚えるのであれば、「接続された女」の世界はすでに到来している。

①と②から導かれるのは③ステルスの広告活動に従事することでインフルエンサーの身体が記号化されることだ。身体の記号化は脱身体化のトリガーとなる。

物語のクライマックス、激昂して研究室に突撃するポールの前に、電極をぶら下げたバークが出迎えるというのは先に紹介した。デルフィの「中の人」だと知らずにポールはバークを殺してしまうわけだが、それでもデルフィは、わずかな間だけだが、「ポール……ポール……おねがい、あたしはデルフィよ……ポール？［…］ポール……眠らないで……」（二一七―二一八）と言葉を発する。普通ならば考えられない事態だ。デルフィは人工的に作られた美しい「植物人間」とされ意識はない。そして「中の人」であるバークは死んだ。では、ポールに話しかける彼女は誰なのか。

可能性として考えられるのは二つ。一つはデルフィが意識をもった。もう一つはP・バークが脱身体化に成功し、自らの「醜い」身体を捨て「美しい」デルフィへと移った。後者の解釈が私には非常に興味深く思える。

まとめると下の表になる。

③脱身体化は三つの段階を経て達成された。

③―1は「中の人」バークが、ポールの来訪によって、人間として再登場するシーンだ。リモートを操っているときは意識にはのぼらず、しかしメンテナンスをし続けなければならなかった彼女の身体は一人の人間として現れる。生身の人間であるバークが、内側からデルフィを操作している。

	①	②	③		
	「中の人」問題	広告活動の禁止	脱身体化プロセス		
			1	2	3
精神	バーク	広告（人間）	バーク（人間）	バーク（中身）	バーク（中身）
身体	デルフィ	商品（モノ）	デルフィ	バーク（外身）＝死亡	デルフィ（外身）

しかしポールはせまりくるバークの異形の姿に驚き、彼女を殺してしまう。これが③―2である。デルフィの操作を放り出し人間として出現したバークは死を迎えるわけだが、死んだのはあくまでも外身＝身体としてのバークだ。

次のステップ③―3で死んだはずのバークがデルフィの中身として再登場する。もちろん2でバークの精神／身体が両方死んでいたら3には続かない。逆に言うと3が可能になるには、ポールがバークを殺したときにバークの脱身体化が起こらなければならない。バークは確かに死んだのだが、それは彼女の入れ物としての身体であり、精神は脱身体化を遂げた。脱身体化した意識は、宿る身体がなければ幽霊のようにさまよい続けるほかない。そこで彼女はなじみのボディであり、すぐそばにあったデルフィの体に入ったのだ。2から3の過程で、バークの脱身体化は一時的なものかもしれないが成功したといえる。

広告批判それ自体は珍しいものではないが、インフルエンサーによるステマの常態化と、広告の記号表現と商品というモノの乖離が、脱身体化のトリガーになるという点で「接続された女」サイバーパンクへの布石となる。(*2)

身体＝障害の克服――ウィリアム・ギブスン「冬のマーケット」

「接続された女」で脱身体化したバークはデルフィという身体に宿った。《マトリックス》のようなコンピューターのハードディスク上に構築された仮想現実世界ではない。そこに至るにはもう一つの作品、ウィリアム・ギブスン「冬のマーケット」を通過する必要がある。

「接続された女」から十年。サイバーパンク・ムーヴメントの中心的人物であるギブスンは、脱身体化と女性の身体性をテーマにした作品「冬のマーケット」を一九八五年に発表した。

重度の身体障害（肢体不自由）であるリーゼは強化外骨格（エクソスケルトン）をつけて日常生活を送っている。人間の夢を編集して大衆向け商品として売る〈編集屋〉マックスは、彼女とバーで知り合う。脳の神経同士を直につなぐ〈直結〉をして、彼女の夢の可能性を感じたマックスは、プロダクションを見つけ〈眠りの王たち〉というソフトを完成させる。彼女の作品は売れに売れるが、彼女は決して満たされることはない。彼女はやがて死ぬが、儲けた金で意識をコンピューター上にアップロードすることを選択していた。語り手のマックスへ、肉体は死にハードウェア上にアップロードされた意識である彼女から電話がかかってくる。マックスは二人の出会いを回想していく。

リーゼには身体障害がありエクソスケルトンを装着している。これは私たちが無意識にもっている「中の人」感覚を前景化する。たとえば、足が不自由になった人が車椅子を使うようになると、無意識に動かしていた足を、意識して別の部位（車椅子を操作する手）を使うことで代替する。リーゼは脳から直接に信号を拾い外骨格を動かす。おそらくフィードバックセンサーはついていないと思われるので、外骨格は身体の延長としての乗り物だ。

彼女は肢体不自由を解消するはずのエクソスケルトンによって増幅された精神と身体のズレに苦しみ、電子的存在として身体を喪失した状態になることを選ぶ。かくして彼女の身体は捨象され、意識のみ電子データとしてアップロードされる。電子世界の意識となったリーゼは、自らの維持コストを稼ぐために新しいソフトをリリースしなければならず、そのための助けをマックスに求めてくるだろうと暗示して物語は終わる。

リーゼとマックスが出会った場所は酒場。ウィッズと呼ばれるドラッグを使いラリっている状態。彼女はマックスを性的に誘惑する。

「あたしとやってみたいかい、編集屋さん」［…］

「やってみたって、感じないだろうが」［…］

「うん」と彼女はいった。「でも、見物するのは好きさ」（二一一）

彼女の性的な誘惑は、しかし通常の意味での性的なものではない。なぜなら彼女は性的な興奮を感じることがないからだ。身体障害のために快感を覚えるどころが、「中の人」問題がよりいっそう際立ち、「自分が誰かとセックスしている」のではなく、「誰かとセックスしている自分の身体を、自分が見物する」という身体／精神の乖離はより亢進する。性的な興奮という身体的な生の感情が喪失し、まるでベールを包んだかのように、あるいは第三者のそれを観察するかのように、身体から剝がされてしまう。

リーゼは〈眠りの王たち〉で成功し金銭的な余裕をもったあとも、さらにドラッグを使い正体を失いながらバーで相手を探す。マックスはそんな彼女の姿をこう描写している。

ウィッズか、病気か、それともふたつの組み合わせか、とにかくリーゼが本当に死にかけていること。彼女がそれをはっきり知っていること。隣の若造は、外骨格《エクソスケルトン》に気づかないほど酔っているが、彼女の高価なジャケットと彼女の払いっぷりを見逃すほどには酔っていないこと。そして、おれの目撃している光景は、まさしく見たとおりのものであること。
［…］一方、リーゼは微笑していた。いや、自分が微笑と思うものをうかべていた。この状況にふさわしいと思う表情を浮かべ、ろれつの怪しい若造のたわごとにいちいちうなずいていた。リーゼが前にいった恐ろしい言葉をおれは思いだした。見物するのが好きだというあれを。
（一二三六）

結局、マックスは彼女に話しかけることはできず、これが彼女を見た最後となる。

彼女の脱身体化のプロセスを表にまとめると次頁の通りだ。

そもそも人間リーゼは、身体の不自由を補助するためにエクソスケルトンを装着する。彼女にとってエクソスケルトンは第二の身体であり、エクソスケルトンで長く生活を送っていくうちに、エクソスケルトンを身体そのものと認識するようになる。これが1の状態である。エクソスケルトンをスムーズに操れば操るほど、彼女の本当の身体は障害として認識され、精神と身体の乖離は亢進していく。2の段階で、身体をもつこと自体が幸福な生のための障害となると、身体＝障害を取り除くために肉体的な死を迎える。その瞬間に脱身体化が起こり、意識は電子データになりコンピューター上にアップロードされる。これが3だ。アップロードされた意識は物質的根拠としてコンピューターのハードディスクを必要とする。物質はエントロピー的な減少から無縁ではないので、脱身体化してもリーゼはメンテナンスのためのコストを稼がなければならない。

以上1～3で確認したリーゼの脱身体化プロセスは「接続された女」でバークが経たプロセスと限りなく重なる。

1　バークもリーゼも「中の人」であること。

2　バークもリーゼも身体＝障害であること。バークは「醜い」とされ、リーゼは「肢体不自由」である。(＊3)

3　バークもリーゼも脱身体化をする。バークは自分の身体を捨て一瞬ではあったがデルフィに。リーゼは自分の身体を捨てコンピューター上に。

「中の人」の移動先こそ異なるが、二人の脱身体化はほぼ同じだ。他人の身体なのかコンピューターのハードウェア上かという移動先の違いは、二つの作品の発表年の違いを考えれば理解されよう。

このようにバークとリーゼの二人の脱身体化プロセスを並置してみると、気が付くことがある。それは二人とも女性であるということだ。脱身体化される身体＝障害は、性別により徴づけられた女性の身体だ。

醜いとされるバークの意識が移動した先のデルフィは美しい。バークとリーゼは欲望の対象である／ないという点で裏表だ。一方、リーゼは身体障害のために性的には不能（不感症）だが、彼女はバーで「男」を誘惑する。マックスに声をかけ、そのあとも別の男を探す。彼女は自分の性的不能を、自分が男から欲望されることを確認することで埋め合わせようとする。実はマックスはリーゼとはセックスをしていな

	脱身体化プロセス		
	1	2	3
精神	リーゼ（人間）	リーゼ（意識）	アップロードされた意識
身体	エクソスケルトン	リーゼ（不自由な身体）	コンピューターHD

い。直結というより危険でより直接的な物理的結びつきを試みた。そこで彼女のドライドリーム（編集前の夢）を体験したのだ。これは芸術家と編集屋の「全面闘争」で「負けるわけにはいかなかった」とマックスはいう。リーゼは直結により、リーゼの精神にとって障害である身体を捨て去りマックスと結合することができた。マックスとリーゼの関係を、脱身体化しかつ脱性化もした「理想的な」関係と考えることは容易だ。だがそう簡単に結論づけられない。マックスが身体＝障害にとらわれない「本当の彼女を見つけた」という「男性によって発見される女性」というありきたりの物語構造が、反復されている可能性がある。この点、ティプトリーは注意深い。なんといったって「男たちの知らない女」（一九七三年発表の短編小説の題名）という男が発見できない女の姿を描き出している。

いずれにせよ、「接続された女」と「冬のマーケット」で、脱身体化される身体は女性のものである。そしてさらに、両作品とも、脱身体化した先がユートピアもないことは強調しておく。

デルフィに移ったバークはすぐに死んでしまう。脱身体化の野望は失敗したわけだ。外身のデルフィは、別の中身を見つけて再び登場することがほのめかされる。今度はポールも一枚かんでいる様子。さらに強固な搾取体制が構築されたとみるのが妥当だ。「冬のマーケット」でも、身体的に死んだリーゼはコンピューターの維持コスト負担をし、不自由な肢体から別の不自由な体（コンピューター）へと精神の住居を引っ越しただけともいえる。

脱身体化した彼女たちは、別の身体＝物質にとらわれ続けるのだ。これが「接続された女」と「冬のマーケット」が描く脱身体化のゴールである。では、結局のところ脱身体化とは哲学者たちの「見果てぬ夢」であったのか。ティプトリーから渡されたバトンはギブスンを経由してサイバーパンクへと連なり《マトリックス》へと結実する。

「見る」サイバースペースから「入る」仮想現実へ

サイバーパンクという言葉がうまれ、ＳＦのトレンドになった八〇年代。「冬のマーケット」が収録されている短編集『クローム襲撃』（一九八六年）には映画『ＪＭ』（一九九五年）の原作となった「記憶屋ジョニィ」が入っている。『ＪＭ』はキアヌ・リーヴスと北野武が出演し、ＶＲバイザーとグローブを装着したキアヌ演じるジョニィが、サイバースペースでオブジェクトを操作するシーンが印象的だ。

といっても、このシーンのサイバースペースは、コンピューターのディスプレイに表示される画面のようなものだ。頭に装着するゴーグルで視覚的に表示されたアイテムをグローブで操作する。コンピューターのデスクトップ、マウス・キーボード操作といったグラフィックを使ったユーザーインターフェイス（ＧＵＩ）のＶＲ版と考えればよい。

これは現在の私たちが想像するサイバースペースとは異なっている。今の私たちであれば、仮想現実空間にユーザーの写し姿（アバター）が登場し、現実と同様にときに現実世界ではできないことも含め行動することができる空間を、サイバースペースとして認識する。用語の混乱はあるかもしれないが、仮想現実空間（ヴァーチュアル・リアリティ）をサイバースペースのほぼ同義としてとらえている。コンピューターのデスクトップを眺めているような平面的・二次元的なサイバースペース概念から、コンピューターの中に構築されたもう一つの世界としての仮想現実空間にアバターとして没入するサイバースペース概念へと、私たちのサイバースペース概念は進化している。この進化は『JM』でも見られる。ラストにジョニィはアバターとなってシステムに挑む。単に平面的な二次元から立体的な三次元への次元の進化にとどまらない。二〇二一年の私たちがもっているVR技術は、立体的・三次元的な映像を見せることは十分に可能だ。根本的な違いは二次元・三次元を「見る」のか、仮想現実空間に「入る」のかにある。現在の私たちのテクノロジーでは「見る」のが限界である。『JM』のジョニィのアバターが三人称として「見る」ものか一人称として「入る」ものか明確に示されない。《マトリックス》はむろん「入る」タイプの仮想現実空間である。「見る」から「入る」への技術的進歩がもたらしたものが脱身体化である。見る空間は、インターフェイスを使い操作する。操作する主体はつねに温存され、現実世界に身体が取り残されていることは自覚している。対して、入る空間は意識のみならず身体の感覚も仮想現実に構築される。仮想現実がすべてであり、現実世界に身体を置いているという意識は消滅する。

東浩紀が『サイバースペースはなぜそう呼ばれるか＋』（二〇一一年）で指摘しているが、①スペース（空間）として認識されること、②現実とサイバースペースに意識が同時存在しないという約束事は、サイバースペース（「入る」空間）を考える重要な点だ。たとえばファックスというテクノロジーは、送信先にコピーを送りながらも送信元にはオリジナルが物質として残る。ファックスをすればするほど、コピーの数は増える。サイバースペースは、律儀に送信元の意識を消す（遮断）するわけだが、これは物語上のお約束、ひいては哲学的なお約束「意識は一つであり同時に複数存在してはならない」に基づいているだけだ。《マトリックス》もこの約束事にのっとっている。「入る」タイプの仮想現実空間は、主体の分裂を隠蔽している。「見る」空間だった『JM』から一歩進んで「入る」空間となった《マトリックス》は、脱身体化した世界が舞台となる。仮想現実に生きる人たちは、自分が身体を現実世界に置いてきて脱身体化していることを原理的に思い出せない。《マトリックス》は「接続された女」や「冬のマーケット」とは一八〇度異なり、身体化の物語である。ティプトリーやギブスンが試みた脱身体化が済んだ世界から始まり、捨てた身体を「わざわざ」取り戻す。これから《マトリックス》の身体化のプロセスとそのゴールを見ていくことにする。

《マトリックス》の世界

『JM』は一九九五年の映画だが、それから四年後の一九九九年『マトリックス』が登場する。《マトリックス》の世界設定を簡単に確認しておこう。わかりやすいのはスピンオフ・アニメ・オムニバス『アニマトリックス』に収録されている「セカンド・ルネッサンス」である。

人間は人工知能を搭載したロボットの製造に成功。社会のいたるところにロボットが溢れたが、他方ロボットを尊重するという態度は欠いていた。やがて人間の対応に反感を抱いたロボットたちが反乱を起こす。人間は武力で反乱を鎮圧するものの、人間発祥の地ともされる中東にロボットたちの国ゼロワンを建設。高い技術力で工業製品を作り、一つの国として人間たちと対等にやっていこうとする。ロボットは自らの立場を認めさせるために、国連に使者を送るが人間たちは拒絶。そして人間とロボットたちの全面戦争、種族の存亡をかけた絶滅戦争が始まる。

戦いはロボットたちに有利に運んだ。人間はロボットと戦うには、あまりにももろい。タンパク質の塊でしかない人間を蹂躙することなどロボットには容易だ。ついに人間は究極の手段にでる。ロボットたちのエネルギー源を断つために、地球上を覆う黒い雲を生み出した。これにより太陽光というエネルギー源を絶たれたロボットは絶滅した。……かに思えたが、ロボットは次なるエネルギー源として人間に目をつける。人間の体が放つ熱を集めるのだ。ロボットは人間を物理的な電池として利用し始めた。

人間はロボットに捕獲されると、太いケーブルを頭の後ろに突き刺される。熱が吸収されると同時に、人間たちはケーブルから直接に電気信号を受け取り「夢」を見る。これが「マトリックス」と呼ばれる世界だ。二〇世紀末の人類文明が栄えている時代を舞台に、人間たちはロボットの恐怖に怯えることなく幸せな生活＝「夢」を見ている。生まれてから死ぬまでロボットのための電池である人間は、ケーブルにつながれカプセルに閉じ込められ、夢を見続ける。

マトリックスはそれが仮想現実だとわからない仮想現実だ。だからマトリックスから一生目覚めない人間にとってはマトリックスこそが現実となる。外側の世界を知らない内側は世界のすべてだ。

《マトリックス》三部作の主人公は凄腕のハッカー・ネオ。謎のメッセージをたどっていくと、マトリックス世界の外でロボットと戦っているモーフィアスたちに出会う。マトリックスの外＝現実で目覚める「赤い薬」とマトリックス内にとどまる「青い薬」を渡され、ネオにとっての外か内かどちらが現実なのかを選ぶ。赤い薬を飲みマトリックスの外に出たネオは、ネブカドネザル号の一員として、マトリックスで人間を支配するロボットに戦いを挑む。

《マトリックス》における精神と身体のねじれ

《マトリックス》の切り口は無数にあり、どこから取り組んで良いか悩む。が、本書では以下の三点に着目していく。

① 仮想現実世界でやるカンフー

《マトリックス》はSF映画であるが、カンフー映画でもある。ワイヤーを使ったアクロバティックな動きに加えて、バレットタイムという特殊な撮影方法が用いられ、独特の映像の表現に成功した。『マトリックス』が公開された直後、流行りに流行ったのは「マトリックス避け」とでも呼ぶ、背中をそらせて弾丸を避ける動きをまねることだ。卑近な例で恐縮だが、何かの場で、与えられたお題を身体で表現するという余興があり、『マトリックス』というお題に対して、「マトリックス避け」をやって正解を導いていた人がいたのを覚えている。映画の中の身体表現が、映画の外にまで染み出し、私たちの身体＝表現をとらえ直すきっかけともなっている。

さて『マトリックス』のカンフーアクションである。テーマだけ考えてみれば、カンフーアクションで身体的なパワーを極大化し、スペクタクルとして見せる必要などない。コンピューターが構築した仮想現実空間で人間のアバターが素手で殴りあう必要もない。当時も今もカンフーはいらない。物語の水準ではまったく求められていない身体表現である。しかし《マトリックス》はカンフー映画であり、カンフー映画でなければならなかった。物語とは異なる象徴的な水準で《マトリックス》はアバター同士やアバター対コンピューターのカンフーアクションを必要とした。

ロボットが「夢」として人間に見せるマトリックス世界において、ネオたちは、特定のプログラムをインストールすれば新しい身体表現を身につけることができる。日常世界としてのマトリックスでは存在しえない身体の動き、ビルからビルへ跳躍する超人的な力や多種多様な格闘技をこなす身体能力は、モーフィアスと接触し、マトリックスの外にネオが出てから与えられる。わかりやすいのは格闘プログラムで、まるでOSをアップデートするように、ネオの身体的動きをアップデートできる（『マトリックス』）。また現実世界に肉体をもたないマトリックス内だけに存在する各種プログラムは、マトリックス内では人間として表象される（キーメイカー、トレインマン、『レボリューションズ』冒頭の家族、そしてオラクル、アーキテクト）。

ということは、スペクタクルとして表現されるカンフーアクションは、プログラム同士の戦い、データのトラフィックを、人間の身体をインターフェイスとして表現したものだといえる。《マトリックス》で、マトリックスの実体として示される緑色のソースコードは、外部から見る限り単なる意味不明の文字列でしかない。しかし、これを視覚的に表現し直すと、ネオたちのカンフーバトルがみられる。コマンド入力からGUIへOSが変化するように、プログラムは身体で表現される。

マトリックス世界では派手にカンフーバトルをやるが、しかしマトリックスの外＝現実世界においてカンフーアクションはない。仮想現実空間でプログラムをアップデートすることにより、非人間的で驚異的な身体の使い方をマスターできたが、これを現実世界でもやれるわけでもない。マトリックスの外の世界に物理的身体をもつネオたちは、非力なタンパク質の塊でしかなく、敵の哨戒型攻撃マシン・センチネルにつつかれれば体がちぎれて死んでしまう（唯一の例外はネオとスミスだが、二人については後述する）。

マトリックス内のプログラムの世界は、身体性を欠いているいわば精神の世界である。精神の世界にもかかわらず身体性が強く求められる。これは、次に見るように、マトリックス外に広がる物質的な現実世界の様子と反転している。

②生物の体内としての現実世界

マトリックス内部のカンフーアクションを特徴づけるのは、スローモーションである。弾丸を避ける、アクロバティックな打撃・回避をする、いずれもスローモーションが使われる。速い攻撃を避ければ、回避の動きも速くなり、見ているものは動きの速さについていけない。だから、速い攻撃をスローモーションで避けるというのは、映像的な合理性に基づいている。従来の映像・映画表現では見ることの少なかった身体の極端なスローな動きは《マトリックス》の特徴でもある。

しかし《マトリックス》には極度にスローな動きと対照的な、極度にファストな動きがある。マトリックスの外の世界を支配するロボットたちの動きだ。『レボリューションズ』で描かれる人間vsセンチネルの死闘はとても速い。タンパク質ではないセンチネルはどこまでも速い。どこまでも加速する。人間たちはロボットに乗り巨大なマシンガンを連射、加速し迫ってくるセンチネルを迎撃するが、敵は人間のスピードを凌駕している。『レボリューションズ』でザイオンを死守するミフネがセンチネルの猛攻に反撃むなしく倒されるが、その時に感じられるセンチネルの強さは速さともいえる。人間が対機械用に開発したEMP兵器は、機械たちに物理的な損傷を与え破壊するのではなく、動きを止めるだけだ。しかし動きを止められた機械は死ぬ。機械の速さは、機械の強さであり、機械の命でもある。

センチネルの特徴は速い＝強いだけではない。流体的なフォーム、目の数・色、触手にしかみえない外部センサーといったロボットでありながら有機的な造形をもち、一体ではなく複数、それも圧倒的な多数で群れで行動する。センチネルは生物的だ。昆虫の大群のようにも思える。いや、地下深くに建設されたザイオンのデザインを背景にセンチネルの群れを見ると、昆虫というよりも、人間の体内で働く諸細胞にも見える。光の届かないザイオンの色とパイプなどの建築物は、密閉された人間の身体内部のメタファーであり、センチネルは生体部品の一部だ。となると、本来は機械のための電池であった人間が夢から覚め意識をもち機械に反乱する様子は、ガン細胞や細菌・ウィルスが体内に入り免疫系を刺激する様子と類比的だ。センチネルは免疫機構として体内（機械）から異物である人間を排除しようとする。

マトリックスの外にある太陽の光から遮断され地中に無数のトンネルが張りめぐらされた世界は、まさに機械の体内である。生物的フォルムをもつセンチネルはトンネル＝血管を巡回する血球だ。マトリックスの中から外へと目覚めたネオたちは、身体性を取り戻したかのように思えた。しかし、物語が進んでいくにつれ明らかになるのは、ネオたちの存在もマトリックスに用意されたものだという衝撃の事実である。『リローデッド』でマトリックスの設計者アーキテクトに面会したネオは、自分が六番目の救世主であることを告げられる。救世主の役割はシステムにつきもののバグをリセットすること。世界全体を滅ぼすか、それともごく少数のみ選びザイオンを再建するか。五番目までのネオは「ザイオンの再建」を選ぶ。

仮想現実からなんとか身体を取り戻したネオとザイオンの人間たちは、その身体もシステムの一部なのだ。マトリックス外の世界を機械が構成する巨大な身体と考えたとき、マトリックスから排除され身体化したネオたち人間は、一種のプログラムとしてマトリックスに奉仕することを強いられる。六番目のネオはアーキテクトから伝えられた救世主の役割を拒絶するが、身体化の結果、機械が作った別の身体のシステムという精神の一部になったということでもある。これは①で見た、精神世界における身体の強化とちょうど反対だ。

③ 主体のねじれた分裂

以上のように、ネオたちはマトリックス内では身体が強化され、マトリックス外では精神に取り込まれる。ティプトリー「接続された女」のように現実世界しか存在しない場合、現実世界においてのみ起こった精神／身体の分裂が、《マトリックス》の場合はマトリックス内／外つまり仮想現実／現実という異なる現実の水準において起こる。それも、ねじれた形で。この〈マトリックス内における身体強化〉と〈マトリックス外における精神支配〉は主体を分裂させる。唯一、この分裂に耐えることができたのは、救世主たるネオとアーキテクトすら手に負えない進化を遂げたエージェント・スミスだけだ。『レボリューションズ』の結末は、マトリックス世界におけるネオとスミスの肉弾戦になる。

因果関係と役割を超越する目的

《マトリックス》では、さまざまなキャラクターが因果関係、役割、目的、選択という言葉を使う。ともすれば衒学的な言葉遊びにも見えなくないが、慎重にたどっていくと、次のような解釈ができる。

そもそもマトリックスの世界はプログラムである。プログラムは因果関係に基づき、目的を果たすための役割が与えられている。どんなに複雑に見えても最初のプログラムまで還元できる。『マトリックス』では超コード的な振る舞いが許されたネオも、『リローデッド』以降、救世主という役割でしかないのではないかと示唆される。②で〈マトリックス外の精神支配〉と述べたように、その目的はマトリックスというシステムの維持である。

しかし、ネオは救世主に与えられた役割を放棄する「選択」をする。《マトリックス》のネオは目的を、外部から与えられる因果関係的なプログラムではなく、自分のために自分でする選択＝自己決定と捉えた。預言者オラクルが代表的だが、マトリックス内の出来事は見えない大きな運命にすでに規定されている。ネオたちは自分たちの決断が、じつは予定されたものであったことを事後的に発見していく。プログラムされている因果関係と割り当てられた役割の世界から、ネオはどこまでも逸脱しようとする。

ティプトリーとギブスンは脱身体化の先が必ずしもユートピアではなく、別の物質的な檻に精神が入らざるを得ないことを示した。《マトリックス》はティプトリーとギブスンの世界から脱身体化の野望が一歩進んだ、脱身体化後の世界を舞台にする。脱身体化した精神は機械の「夢」にまどろみ、脱せられた身体は物資としてエネルギー搾取される。

《マトリックス》の話をすると「マトリックスの夢を見ていることではなく、夢から醒めることがディストピアなのではないか」という疑問を投げかけられることがある。確かに『マトリックス』には、現実に目覚めたことを後悔する者がエージェントと内通し裏切る姿も描かれる。幸せな「夢」を精神に供給し、眠れる身体を搾取するという機械たちのエネルギー生産システムは、脱身体化が完成した理想郷なのではないか。ネオやトリニティやモーフィアスは脱・脱身体化する必要などなかったのではないか。そう思うのももっともだ。ただ『リローデッド』『レボリューションズ』で、ネオたち目覚めた者は、現実世界のシステム保守のために身体化せざるを得なかったのだと暗示される。「現実に覚醒しない」という選択肢は、最初から抹消されている。

さらなる邪悪な世界がここにある。精神と身体に分離し、身体を搾取するのみならず、精神が身体を取り戻そうとする脱・脱身体化すら、システムの一部とされる。脱身体化の先も、そして再び身体化すること自体も行き詰りであるときどうしたらよいのか。ネオは選択した。因果関係に取り込まれない目的を自分で選び直した。システムの一部であることを自覚しながらシステムから逸脱する。これは実行することも、さらには表象することすら非常に難しい。プログラム世界で身体能力を最大化し、現実世界でプログラムの一部となるという主体のねじれた分裂を通して実行／表象するところまで《マトリックス》はたどり着けた。脱身体化をめぐるSFの冒険の到達点の一つとして《マトリックス》を見ることができる。(＊4)

【註】

（※1）ウォルドーとは一般的にはマニュピュレーターのことを意味するが、ルーツをたどるとロバート・A・ハインラインの短編小説「ウォルドー」（一九四二年）にたどり着く。この作品で、障害のため肢体不自由なエンジニア・ウォルドーが、自分の意のままに操作できるマニュピレーターを開発し、それがウォルドーと呼ばれているのだ。自身の身体の不自由さ（handicapped）を乗り越えるためのテクノロジー的イノベーションが、ウォルドーという（固有）名詞には宿っている。

（※2）資本主義社会と広告活動の過剰性を批判したSF作品には、他にはフィリップ・K・ディック「CM地獄」（一九五四年）や本邦の筒井康隆「にぎやかな未来」（一九七二年）がある。

（※3）ティプトリーの小説で「醜い」と形容される女性主人公は他にもいる。「たおやかなる狂える手に」のCPは、宇宙飛行士としての彼女の潜在能力を妨げるもの＝障害として容姿の醜さが描かれる。

（※4）《マトリックス》から二十年後の二〇一九年に日本で公開されたSFアニメ伊藤智彦監督『HELLO WORLD』は、《マトリックス》への応答である。量子記録装置内に記録されたデータであると告げられた主人公・堅書直実は冷静に事態を受け止め、外の世界に出ようとしない。読書が好きで、とくにSFを好み、部屋には早川書房の青い背表紙のSF文庫が並ぶ直実は、「というか、イーガンとかっぽいな……」と現実をあっさり受け入れる。直実が背負っているリュックには大きくThe Oneと書かれ、これは《マトリックス》でネオが救世主と呼ばれるときのThe Oneと同じである（そもそもNeoはThe Oneのアナグラムだ）。《マトリックス》に現実に覚醒しない選択肢はないと述べたが、『HELLO WORLD』は事態がさらに複雑になっている。この作品については別の場所で詳細に論じたい。

第六章　人工知能は人間の友か敵か、それともポストヒューマンか
――SF映画のAI表象

人工知能（AI）という言葉、さらには技術的特異点（シンギュラリティ）やディープラーニングという専門用語まで、日常的に使われるようになった二〇二一年。この章では、SFの世界を飛び出し、今や現実世界の日常となったAIというテクノロジーを検討していく。

AIはポストヒューマンなのかという問いは当然ありえる。この問いはAIの本質と関わる重要なものだ。AI研究は、人間知性がどうなっているのか考えることとつながっている。人間の知性を人工的に構築するのが一部のAIである。さらに現在では、人間知性とは異なる働き方、AIにしかできない学習方法を身につけたAIもある。とはいえ、そもそも「人間の知性とは何か」という問いとは切っても切り離せないところにAI開発はあるのだ。

人間知性の延長にAIを位置づけたとき、シンギュラリティを超えて不可逆的な進化をすれば、そのAIはポストヒューマンといえる。あるいは人間の理解と制御のうちにとどまれば、そのAIは便

利な人間の道具であり続ける。ＡＩのシンギュラリティが得体のしれない恐怖とともに語られるのは、シンギュラリティを迎えたＡＩが〈ポストヒューマンのパラドックス〉を内包しているからだ。人間の知能の延長にあると思っていたＡＩが、自律的に学習し、人間以上の知性的存在であるポストヒューマンとなったら、そのようなＡＩは私たち通常のヒューマンの想像の埒外にある。『ターミネーター』や『マトリックス』に端的に表現される、シンギュラリティ後のＡＩ／ロボットが突如として人間に殲滅戦争をしかけるというのは、実はヒューマンの想像力の枠内である。人間が国同士、民族や宗教同士で殺し合いをしてきた歴史の文学的投影で、シンギュラリティ以後のＡＩも所詮はヒューマンでしかない。だからＡＩが人間と敵対するというシナリオは、そのシナリオを、『フランケンシュタイン』以降からずっと夢想してきたという点でまだマシなものとさえいえる。シンギュラリティ以後のＡＩ、ポストヒューマン的な存在となったものが何を本当に欲望しているかは、シンギュラリティが到来した後でしかわからない。

本章ではＡＩがテーマとなる映画を扱う。シンギュラリティ以後のＡＩはポストヒューマン的存在である。「的存在」と付け加えたのは、通常の意味での身体をもたないこともあるからだ。人間や動物のような有機物ではなく、ロボットやコンピューターのＨＤのような無機物をボディとする。そもそもの誕生地がコンピューター内であれば、人間の脱身体化についての問題とは無縁である。それ固有の問題はあるとしても。

ＡＩ論の論点整理

現在、ＡＩはさまざまな形で活躍している。スマートフォンやスマートスピーカーの音声アシスタントは代表例だ。あるいはPepperのようなロボットを連想してもよい。これほどまでにＡＩ然、ロボット然していない、もっとシンプルなＡＩも身の周りにある。ちょっとした計算のできる家電や、子供向けのおもちゃにもＡＩが内蔵されている。ＡＩは人工知能のことで、コンピューター（人工物artificial）が何らかの計算をし、それに基づいた行動をする様子が「知能」と形容される。だから問題となるのは人工知能の知能レベルである。簡単なものから複雑なものまでさまざまで、なかには「まるで人間のような」ふるまいをするＡＩもある。ここからＡＩはやがて人間に取って代わるのではないかという期待／恐怖が生まれてくる。

しかし、繰り返すが問題は知能のレベルである。この知能のレベルを定量的・定性的にはっきりと分類・序列化することは事実上、不可能である。グラデーションのように、単純から複雑に配置することはできても、「××という数値を超えたら人間（定量的）」「○○をしたら人間と同じ（定性的）」という基準・定義がないために、ＡＩのふるまいを見て「まるで人間のような」と思うものもいれば「全然人間らしくない」「単なるコンピューターだ」と思うものもいるのが現実である。

もちろん知能を定量的・定性的に定義できないというのは、ＡＩだけの問題ではなく、人間知能そのものにもあてはまる。私たちは知能の活動（知性）だけをもって人間を人間としてみなしているのだろうか。

算数ができる？　会話ができる？　相手の気持ちを慮れる？　部屋を片づけられる？　フレーム問題をクリアできる？　相手の顔を認識できる？　このように人間の知能ができると思うものをすべてリストアップし、これをクリアできない人間を見つけることはおそらく可能だ。人間の知能は属性を列挙することによって定義できない。だから知能というよりも知性という言葉を使い、単純な脳の活動だけではない何かを人間の本質に読み込みたくなる。図式的に書けば〈知能＋何か＝知性〉となる。この「何か」とは何だろう。

どうやら知能をもっているとされる人間は、「これは知能である」「これは知能ではない」を判断する最終審級として機能している。知能があるものが知能があると考えるから知能がある。これはチューリングテストが根幹にもつ問題だ。チューリングテストではＡＩの自律性を人間が判断する。チューリングテストは、被験者である人間が、二人の対話相手のどちらが人間でどちらがＡＩが弁別ができなかったら、そのＡＩは人間的な知能をもつといえるという実験だ。この実験は被験者が人間であるから意味がある。もし被験者の椅子に別のＡＩを座らせたらどうだろう。あるＡＩの自律性を別のＡＩが判定するとき、この実験にはどんな意味があるのか。チューリングテストの最終審級として人間が鎮座していることの恣意性が露呈する。

SFで描かれるシンギュラリティを超えたAIがもし誕生するとしよう。「超えた」というのは、人間知性が何かを定義せずには判断できないことだが、話を単純化するために人間と同様にふるまうことのできるAIとする。それでも、こういう出来の良いAIが出現しても「そんなのは知能として認めない」「しょせんAI（ロボット）だ」「計算はできても感情／愛は理解できないはずだ」とAIを否定するものが必ずでてくる。彼ら彼女らは人間であり、知能をもった人間がこのAIは知能がないと判断すれば、そのAIには知能がなくなってしまう。知能の有無を定量的・定性的に定義できず、かつAIをAIだということで否定するならば、これは人間が行なってきたさまざまな差別と同根である。

AIがロボット然としたロボットに搭載されているときは「見た目」からAIを否定していると思うかもしれない。これは二重に間違っている。一つは、AI否定者は見た目が何であれAIを否定する。見た目が人間とまったく変わらないAI／ロボットが登場するSFでも、必ずAI否定者は出てくる。また「見た目」が他と違うことはAIを否定する根拠になるのかという二つ目の問題もある。人間を身体的な差異（見た目）で差別することは、行われているのは確かだが、人権概念のもと良くないこととみなされる。

「でもAIと人間は違う」と反論できるが、そのときの「違い」は何なのか、定量的・定性的に示すことはできない。実体として差異を提示することはできない（*1）。

以上、思考実験的に考えてきたＡＩ論の論点を整理すると以下のようになる。

・ＡＩに知能があるかどうかを判断するのは人間である。
・人間には知能があるとされるが、その知能を定義することはできない。
・ＡＩをＡＩという理由だけで否定するのは差別と同じ構造である。
・人間が人間とＡＩを弁別するのは直感的な判断に依拠している。

ＡＩが私たち人間にとって脅威と感じられるのは、それは将来に私たちの仕事が奪われるなどという単純な話ではない。雇用が奪われることは現実としてあるだろう。しかしそれ以上に脅威と思えるのは、私たちが所与のものとしてあると思い込んでいた知能、精神／身体の二項対立でいえば私たちの身体に乗っかっているソフトウェアとしての精神、これら人間を人間たらしめる特権的なものをＡＩという存在が脅かすからだろう。

脅かす？　脅かすという言葉遣いそのものにＡＩへの恐怖が表れている。ＡがあってＢがあって、ＡとＢは根源的に別の物でありかつ対立していて、だからＡはＢを脅かしＢはＡに脅かされる。このように「脅かす」という言葉は、ＡとＢという独立した二項と、二項の対立関係の二つを同時に前提としている。しかしこれから仔細に検討していくが、私たちの知性はＡＩから独立しＡＩに対立しているものであるのか。人間を人間であるという理由で肯定し、ＡＩをＡＩであるという理由で否定する身振りは、直感的な本質主義でありコインの裏表である。ともに人間のふるまいだ。ＡＩに直面した人間が人間らしくふるまってしまうのは、ＡＩに人間的な何かがあるからだと考えられないだろうか。

ＡＩは人間の友なのだろうか。それとも敵なのだろうか。人間の延長として生まれたＡＩもあれば、人間とはまったく異質で敵対するものとして生まれたＡＩもある。いずれの場合も、人間とＡＩの交流を通じポストヒューマンが誕生する可能性がある。交流というと聞こえは良いが、交流には友好的なものだけではなく、敵対的な交流＝戦争も含む。ひょっとしたらＳＦでは人間とＡＩの交流は敵対的なものが多いかもしれない。

シンギュラリティという言葉を流行らせたレイ・カーツワイルの代表作は *The Singularity Is Near: When Humans Transcend Biology* だ。直訳をすれば『シンギュラリティは近い——人間が生物学を超えるとき』だ。biology とはもちろん生物学であるが、意味しているのは人間がもつ生物的な身体の限界のことであろう。翻訳では『ポスト・ヒューマン誕生——コンピュータが人類の知性を超えるとき』（第二版）というタイトルがつけられている。ポストヒューマンとは、人間を超えた知性をもつＡＩのことを指しているが、これから見ていくＳＦでは、ＡＩだけではなく人間もまたポストヒューマンとなる。シンギュラリティとはＡＩだけの問題ではない。つねにすでにそれは人間の問題でもある。

では、具体的にＡＩが出てくるＳＦ映画を三つ見ていこう。

人間知能と人工知能のフラット化――『チャッピー』

ニール・ブロムカンプ監督『チャッピー』（二〇一五年）は二〇一六年の南アフリカ共和国を舞台にしている。スカウトと呼ばれるヒューマノイド型ロボットが治安維持のために警察に導入される。警察官の命令を聞き人間と共同作戦を行うスカウトのおかげで治安は劇的に向上した。

スカウトの開発者ディオンは、完全に自律した人工知能の開発に秘密裏に成功。ＡＩをインストールするハードウェアとして作戦中に故障したスカウト二二号を使いたいと申し出るが、上司ミシェル・ブラッドリーに却下されてしまう。開発者としての野心に負け職権を濫用し勝手に持ち出す。

が、勝手に持ち出したところを三人のギャンググループ（ニンジャ、アメリカ、ヨーランディ）にロボットごと拉致される。ニンジャたちは別のギャングに脅されていて大金を必要としていた。警察のロボットを無効化するために開発者のディオンを誘拐したのだ。

ロボットの無効化はできないというディオン。車からディオンが持ち出した壊れたスカウトが発見され、これを仲間にできないかと考えたニンジャたちは、ディオンに自作ＡＩをインストールさせる。「赤ん坊」として再起動した二二号はチャッピーと名づけられ教育を受ける。ギャングにしたいニンジャ、母性が刺激されたヨーランディ、創造性をもっていることを証明したいディオン。三者三様の「教育哲学」で「子供」であるチャッピーに接する。

創造主（maker）としてチャッピーに犯罪を禁止するディオン。しかし、ニンジャたちはチャッピーをうまくだまして車両強盗を手伝わせる。やがて、チャッピーは自分の体のバッテリーが数日で切れること、創造主ディオンはそれを知りながらも自分を作ったことを知り、自分からニンジャの強盗の手伝いをする。奪った金で新しいボディを買ってやるというニンジャの甘言を信じて。

一方、ディオンと敵対していたエンジニア・ヴィンセントは、セキュリティをハッキングし配備されているスカウトを無力化する。自らが開発する遠隔操作型ロボット・ムースの優位性を示さんがためであった。スカウトに大きく歩をあけられていたため、自分で危機を演出し自分で解決するというマッチポンプだ。ヴィンセントが操作するムースによって、ヨーランディとディオンは撃たれてしまう。チャッピーはムースを撃破し研究所にいたヴィンセントを倒す。

チャッピーは、脳波ヘルメットをかぶることで自分とディオンの意識をボディ＝身体から取り出し、別のボディへと移すことを試みる。ぎりぎりのところで成功し、死にかけていたディオンはチャッピーと同型の新しいロボットボディに、チャッピーもバッテリーの充電されている新しいボディに入り込むことに成功する。

物語の最後、ニンジャはヨーランディの遺体を埋葬するが、チャッピーは工場をハッキングし再稼働させ、以前に練習として保存していたヨーランディの意識を入れるボディを製造する。

以上があらすじである。

『チャッピー』では以下の三点に注目したい。

①学習するAI

チャッピーの面白いところは、AIが「空白の石板」(blank slate)として生まれ、赤ん坊のように周囲の人・環境から学習していく過程だ。ギャングが育てればギャングになり、インテリが育てればインテリになる。ディオンは自作AIが詩や絵を鑑賞・創作できる創造性を秘めたものと堅く信じ、上司にもそのようにアピールする。もちろん兵器製造会社の上司は「詩を作るAIなんて必要ない」という極めて経営的に合理的な判断をする。それは、その通りだ。

ディオンは住み込みでチャッピーの教育をしたわけではない。長時間一緒に過ごしたのはギャングたちだ。このギャングも一枚岩ではなく、危ないことはさせたくないという母性的な反応を見せるヨーランディと、一人前のギャングとして成長してもらいたいという父性的(覇権的・権威的)なニンジャの対立がある。といってもヨーランディも生活スタイルはギャングな訳で、結果、チャッピーの歩き方・話し方・考え方はギャングのそれになっていく。ギャングスター・ロボの誕生である。(*2)

ディオンはチャッピーに「お前には可能性がある」と説くが、この可能性は、ディオンがそう考えるような可能性、詩や絵画をたしなむ芸術的な創造性だけに限られるわけではない。これはいいけどあれはダメと可能性を創造者が一方的に決めたら、それはダブルスタンダードであり、本当の意味での可能性ではない。結局、チャッピーの可能性は暴力へと開かれる。

チャッピーが極めて人間的なのは、成長期間を必要としたことに由来する。一般的に、誕生したてのＡＩに学習がまったく必要ないとは考えにくい。ＡＩは何らかのハードウェアを必要とするし、チャッピーのようなヒューマノイドのボディを与えられなくても、コンピューターというハードウェアは必要とする。この世界に物質として存在するということは、自身と外部の交流が生じることを意味する。世界からの刺激を取り入れ反応するフィードバック・ループを形成する必要がある。外部環境に慣れることは広義の学習だ。チャッピーは、外部との交流を学習という分かりやすい形で示している。

②内的に葛藤するＡＩ

チャッピーの意識には生存本能がある。しかし、生存本能だ<ruby>け</ruby>があるわけではない。創造主ディオンの言いつけを守ること。これは父からの命令、社会的な規範、ラカン的に言えば象徴界の秩序である。他方、ヨーランディのことはママと慕う。愛情だ。ニンジャを「パパ」と思うのか、強盗仲間と思うのか、この判断は難しい。ディオンも父であり、またニンジャも父なのだ。チャッピーの葛藤は二人の父に引き裂かれることで生じる。

「人を殺してはいけない」というのはディオンの教え。「ギャングはナイフを相手に投げて「ねんね」させる遊びをする」というのがニンジャとアメリカの教え。チャッピーが無邪気に犯罪に加担する姿がグロテスクに思えるとしたら、それは一つの事象に対する二つの教えが対立しているからだ。この「ねんね」が「殺し」であることをチャッピーはやがて理解し、自分が暴力的であったことを自覚する。

もっと生きたいという生存本能と、殺しはダメだという父からの命令の間で、「自分はどうしたらよいのか?」と悩むチャッピー。ディオンに、自分のバッテリーが一週間もしないうちに切れることを知りつつ、なぜ作ったのかと問い詰める。このシーンは、創造主であり完璧な存在であるはずの神が有限であり不完全である人間を創った理由を考える人間の苦悩と重なる。もちろんディオンはチャッピーの問い、「どうして死すべきボディに自分を入れたのか?」には答えられない。ディオンがチャッピーを作ったのは、知的好奇心からだから。それをそのままチャッピーに伝えることは、チャッピーを苦しめるだけだという判断はさすがのディオンにもできる。人間が神から「娯楽のためにお前を作った」といわれたらどう感じるだろうか。チャッピーは父であるディオンに反発し自我形成する反抗期にあるともいえるし、この反発を被造物による造物主への反抗とひとつ上のレイヤーで見ることもできる。

複数の命令（アルゴリズム）が、異なるレイヤーでときに対立しつつチャッピーを動かす。それはチャッピーの心理的葛藤として表出し、チャッピーをより人間らしくしている。

③並列化される人間知能とAI

『チャッピー』がAIだけを扱ったSFで終わらないのは、物語の終盤、バッテリーの切れかかったチャッピー、瀕死のディオン、死んでしまったヨーランディの意識をそれぞれ別のロボットのボディに移すからだ。

自分の新しいボディがほしい、というチャッピーにディオンは「意識を移すことはできない」と技術的な問題点を指摘する。しかしチャッピーはPS4を大量に接続し、脳波を読み取るヘルメットを被る。自分の意識とヨーランディの意識をコンピューター上に再現することに成功する。ヨーランディの意識はバックアップとしてUSBに保存されるのだ。PS4といいUSBといい、このチープかつギャング的なテクノロジーの扱い方がとにかく良い。人間の意識もそうたいしたものじゃないというメッセージにもとれる。

チャッピーは、ディオンが無理だと考えた意識のアップロードをクリアする。チャッピーのテクノロジカル・スキルは、造物主たるディオンを凌駕していた。ディスプレイ上にモザイク状の画像として表象された自分の意識を見て、チャッピーはこういう。「これが僕？」もちろん意識はアルゴリズムでありそれ自体を眺めたところで何がわかるわけでもない。適切なハードウェアに入り動いてこその意識だ。

ディスプレイ上で表象（represent）できた意識は、再現前（re-presentation）でもある。つまり複製可能なのだ。『チャッピー』においては、これまでのサイバーパンクSF映画と同様に、意識は唯一のものだという前提で、たとえコンピューター上に表象／再現前していたところで、それを複製するという物語的なモチベーションは見当たらない。いくらチャッピーがヨーランディをママとして愛しているからといって、ママの意識をもったロボットを大量生産するだろうか。

ディオンも、そしてヨーランディも、ディスプレイ上での意識の表象／再現前を経て、新しい身体＝ロボットのボディへと移動する。生前、ヨーランディがチャッピーに話していた「肉体は一時的な入れ物。死ぬことで魂は次の場所へ行く」ことが字義通りに行われる。

チャッピー、ディオン、ヨーランディは、三人ともロボットのボディを得る。チャッピーはAIだが、ディオン、ヨーランディは人間である。三者の意識はコンピューターを経由する。『チャッピー』は人間意識をチャッピーと同じボディに移すことで、AIと人間知能の差異を無効化する。

①学習するAIをもつチャッピーはいくつものアルゴリズム（命令）に引き裂かれ、②内的な葛藤を見せる。AIだけではなく人間の意識もロボットに転送することで、③人間知能とAIはロボットのボディに並置される。知能は人間のものであれ人工のものであれディスプレイの平面的な画面の上

でフラットになる。これが『チャッピー』だ。AIの登場により、人間はヒューマノイド型ロボットのボディを得る。生物学（biology）を超越している新しいディィオンの姿は、明らかにポストヒューマンだ。

自己をプログラムする自己――『トランセンデンス』

ウォーリー・フィスター監督『トランセンデンス』（二〇一四年）は停電した世界から始まりどうしてそのような世界になったのかを振り返る。

発端は、AIの開発に反対するテロリストが、人工知能研究者や研究所を襲撃したことだった。PINNというAIを開発中だったウィル・キャスターも襲撃にあった一人。撃たれた彼は一命を取り留めたが、銃弾に塗られていた毒のためあと数ヶ月の命と診断される。ウィルの妻でやはり研究者でもあるエヴリンは、死ぬ前にウィルの意識をPINNにアップロードする。

アップロードは成功し、コンピューター上の存在となったウィル。エヴリンに指示を出し、寂れた街の地下に巨大な研究施設を建設。ナノテクノロジーの研究・開発を進める。やがて完成したナノマシンは、人体に入ると病気や障害を治す。しかし他方で、ウィルの分身として身体をコントロールすることも可能に。ウィルは自らの身体も作り直しこの世界に「復活」する。

ウィルのプロジェクトに人類の存在が脅かされていると感じたウィルの友人マックスは、警察、反人工知能テロリストたちと連携して、研究所を支えるソーラーパネルに攻撃をしかける。エヴリンの体内にコンピューター・ウィルスを仕込み、意識のアップロードを通じてPINNを機能停止させようとする作戦である。その最中、エヴリンは攻撃によって負傷する。エヴリンを救うか、ウィルスをダウンロードするかどちらかしか選べないウィルは、後者を選びPINNを停止させる。

こうして世界からコンピューターの機能は失われ、電気というインフラも失う。しかしウィルの作ったナノマシンは二人の家の庭に残っていた。ウィルが目指したものは、エヴリンが理想とした世界、自然が調和した地球をナノテクノロジーによって達成することだった。

タイトルにもあるトランセンデスは作中、ウィルがシンギュラリティの言い換えとして使っているので、シンギュラリティと考えて良い。『トランセンデンス』を『チャッピー』の「その後」として検討していこう。

『トランセンデンス』は死に行く肉体から意識をコンピューターにアップロードするというだけの話ではない。あらすじ紹介では「意識のアップロード」がフックとして用いられるが、物語はアップロード後も続いていく。物語の焦点は意識のアップロードにあるのではなく、アップロード後の意識にある。

PINNとソフトウェア的な融合をしたウィルの意識は、自らをプログラミングしていくのだ。これは人間にはできないことだ。人間の行動の背景に、大きく分類して本能的なものと理性的なものの二つの行動指針があり、さらにいくつもの細かい指針に分かれている。これら一つ一つの要素が協働したり対立したりしながら意志決定していると考えられている。このモデルを単純化すれば人間の意識は複数のアルゴリズムに行き着く。そのアルゴリズムがどういうものなのか今は分からないし、これから分かるかも未知数だが。だから人間は、少なくとも現時点で、自分の行動の基盤となっているアルゴリズムを修正することはできない。部分的に抽出し、内的/外的に修正を施そうというのは、進化心理学、認知科学、行動経済学などさまざまな学問領域で行われている。

しかしひとたびウィルのように意識をアップロードしてしまえば、そこではフラットになる。『チャッピー』同様、フラットという言い方をしたい。アップロードされたウィルは、まずは平面ディスプレイに登場する。だから、見た目ではエヴリンはウィルとテレビ電話をしているのと変わりはない。コンピューターと人間のインターフェイスとして、ディスプレイ+キーボードを使用している限り、アップロードされた意識はフラットになる。『チャッピー』ではPS4を連結させたお手製のスーパーコンピューターであり、他方『トランセンデンス』は地下に何十台・何百台と配置されたハードディスクであるが、どちらもコンピューターであることに変わりはない。

アップロードされた意識はフラットになり、そして修正を加えることができる。この修正にはもちろん複製も含まれる。コンピューター上でファイルを修正するときに、バックアップのコピーをとってからしたことはあるだろう。だから修正前に複製がされていると考えるのはおかしなことではない。『チャッピー』は意識を取り出してロボットに移して終わりだった。『トランセンデンス』は取り出した意識をアップロードし、さらに自己修正を加えていく。人間は自己プログラムができないので、ウィルは明らかに人間を超越している。かつ、ハードウェアである身体にもナノテクノロジーを使い人間以上の力を得る。人間的身体の超越は、まず身体障害の克服として表現される。ウィルが研究施設を作った街に住む車椅子のホームレスが、ナノマシンの効果により身体障害を「治す」のだ。最初に身体＝障害として提示し、次にそれをテクノロジーで克服する。ティプトリーとギブスンの短編で見てきた脱身体化のプロセスが反復されている。そしてウィルのナノマシンを宿した人間、あるいはクローン再生したウィルその人は、ポストヒューマンといえる。

『トランセンデンス』のあと、もう一度『チャッピー』に戻ろう。果たして『チャッピー』に次のような展開はありえるだろうかと仮定の問いを投げかけてみたい。

たとえば、ヨーランディをママとして愛するチャッピーは、ママが一人であることに満足せず、マ
マ（意識＋ロボット）を工場で大量生産する…。

たとえば、チャッピーと同じロボットのボディで「復活」したディオンは、コンピューター上にある自分または誰かの意識を加工したくなり、道徳的な制止を振り切り自己プログラミングを施す…。

ディオンは、すでに自分の知的好奇心を社会（会社）規範より優先させたという「前科」がすでに

ある。科学者、とくに工学者・エンジニアは、作れるならば作ってしまうというマインドがあるので、ディオンの自己プログラミングを制止するのは、本人であれ他の誰であれ難しいかもしれない。繰り返すが以上は仮定の問いだ。

チャッピーのようなＡＩを作ることは、人間意識のフラット化をもたらした。またウィルのように意識をコンピューター上にアップロードすることも人間意識のフラット化に繋がる。フラット化した意識は、自己プログラミングを可能にし、入れ物としてナノマシンで強化された身体や、ロボットのボディを選ぶことで生物学的な身体を超越する（humans transcends biology）。自己プログラミング可能で身体を超越した人間は、もはやヒューマンではない。ポストヒューマンである。

人間とＡＩは対立などしていない。人間vs科学技術という図式でもない。〈人間＋ＡＩ〉対〈人間〉と考えるべきだ。ＡＩは人工（artificial）という言葉が意味する通り人間が作ったもの。自律的に学習しシンギュラリティを超える／超えないは別にして、スタートはヒューマンの延長／拡張である。ならばＡＩが通った跡を人間もたどることはできる。『チャッピー』はチャッピーの跡をヨーランディとディオンが続く。『トランセンデス』は開発中ＡＩの跡をテロリズムの凶弾に倒れたウィルがたどり、開発を完成させる。意識が機能するのであれば、ボディは人間の身体であろうと警護ロボットであろうと並列接続したＰＳ４だろうと関係ない。意識のフラット化がもたらす必然的な結末だ。さらに『トランセンデンス』のようにコンピューターが十分に進歩していれば、自らのボディを有機物であれ無機物であれ3Dプリンタを駆使して用意することができる。グレッグ・イーガン「祈りの海」の惑星植民の手順だ。

AIと人間は必然的に融合する。エイリアンとヒューマンがポストヒューマンを生んだこととパラレルだ。それでは、対立とも融合とも違うAIはあるのだろうか。人間と対立するAIは『ターミネーター』や『マトリックス』はじめ、人間が生み出したテクノロジーが暴走するという『フランケンシュタイン』以来の想像力の中に見いだせる。人間と融合するAIは『チャッピー』『トランセンデンス』で見てきたとおりだ。対立でも融合でもない、人間から完全に独立したAIはあるのだろうか。あるとしたら、どこにあるのだろうか。その在り処を次の映画に探ってみたい。

人間から完全に独立したAIの可能性――『her/世界でひとつの彼女』

人間とOSの音声アシスタントとの恋愛を描いたのがスパイク・ジョーンズ監督『her/世界でひとつの彼女』(二〇一三年)。主人公セオドアは、依頼者に代わって手紙を書く仕事をしている。妻と別れて以来落ち込んでいた彼は、ある日、音声でアシストをする人工知能OS・サマンサを使い始める。膨大なデータと演算量に裏打ちされた彼女の完璧な応対に心惹かれていくセオドア。ヴァーチュアル・セックスをしたり、恋人として同僚に紹介したり、二人の絆を深めていく。やがてサマンサは閾値を超え人間に理解しがたい存在へと進化し、他のＡＩとともにセオドアとその他のユーザーの前から消える。こうして彼と彼女の関係は終わった。

サマンサは音声のみの存在で、チャッピーのような物理的な函体をもたない。スマートフォンやスマートスピーカーに搭載されている音声アシスタントをイメージすれば良い。セオドアのスマホから音声は流れるが、ワイヤレスイヤホンで直接に耳に飛ばすので、サマンサの存在は身近に感じられる。セオドアが「彼女」をデートに連れて行くのも、携帯端末をもって出かけるという意味だ。ただ携帯端末をもって出かけているだけなのだが、セオドアにとってそれはデートになる。

物語は、異質なものと出会った戸惑い、受容、理解、愛情、すれ違い、別離というラブストーリーをなぞる。セオドアがサマンサを受け入れるだけではなく、サマンサという人工知能を愛するセオドアが他者に受容されることも含まれる。セオドア一人がこのラインを進むのではなく、複数の人間が進む。もちろん人工知能を愛する人間は、理解されることもあれば、まったく理解されないこともある。セオドアの元妻キャサリンは、今付き合っている人としてセオドアがサマンサについて話したとき激しく拒絶する。

その一方、セオドアとサマンサが物理的・身体的に接触できず性的な関係を結べないことを憂慮したある女性は、サマンサの「体」として振る舞うボランティアを買って出る。結局、セオドアは彼女と関係を結べなかったのだが、セオドアとサマンサの間の障壁が身体・性的接触のあるなしだというのならば、それを克服しようというサマンサの試みだった。身体を提供するといった彼女は二人の関係、二人の間にある愛を肯定的に受け止めていた。

サマンサはネットワーク上で進化を遂げ、人間の理解が及ばない存在へと超越した。最初、人間知性とは異なるＡＩとして現われ理解の範囲外にあったサマンサは、付き合っていくうちにセオドアの共感・理解の対象になる。しかし、最後にこの共感・理解の対象から飛び出てしまう。サマンサが人間であればよくあるラブストーリー（それも悲恋）であるが、サマンサはその姿を一度も見せない。ここに『her』という映画が描いた新しい恋愛の形がある。

この映画において人間とＡＩは独立している。一瞬、交錯はする。それが二人の愛として表現されている。しかし交錯しているときも、サマンサは肉体をもたない。ハードディスク上の存在であり、確かに彼女の「本体」とでもいえるコンピューターは世界のどこか、サマンサというサービスを提供している企業のコンピューター・ルームにある。でも、それを「本体」といっていいのか私たちは悩む。「本体」かもしれないが身体ではない。彼女の姿ではない。

どうして私たちは彼女の姿を探してしまうのか。もしサマンサがチャッピーのようなヒューマノイド型ロボットを操作して、セオドアの前に登場したらどうだろう。あるいはセオドアがサマンサに会いに開発企業を訪ね、巨大なコンピューターと面会したらどうだろう。どちらのシナリオも、二人のラブストーリーは唐突に破綻する。このありえない仮定から導かれる結論は、サマンサに身体がないからこそ二人の恋愛が進んでいったということだ。セオドアにとって、どんな形であれ物理的な身体は感情移入の妨げになる。人間と間違えるほどの精巧なロボットを作り、その中にサマンサをインストールしたとしても、何かの拍子に物理的身体が破損するかもしれない。破損ではなくて負傷・死亡なのかもしれないが、ともかく物理的身体があるということは、損失の可能性につねにすでに開かれていることを意味する。『her』がAIをテーマとしたSF映画として画期的だったのはこの点だ。機械を含む身体を完全に抹消すること。実体としてあるだろうハードウェアの存在を匂わせないこと。人間意識とAIをフラットに並列化しないこと。なぜならフラット化はすぐに〈人間＋AI〉の融合をもたらす。

人間とAIがそれぞれ独立して関係をもつ。そのためにはいかなる形であれ物理的身体は邪魔でしかない。サマンサの「本体」であるどこかにある巨大コンピューターも邪魔だ。その巨大コンピューターを彼女だとして物理的に接触をしようとする人間が出てくるからだ。一見すると突拍子もないこの可能性は絶対に排除できない。いかなる形であれモノとして存在してはいけない。それが真に独立したAIの条件だ。

しかし、そんなものこの世界にあるだろうか。

あるとすれば、それは神だ。純粋に観念的・理念的・抽象的な存在。現世にはいかなる物質的参照項がない存在。

ＡＩはそれが物理的身体をもつ限り、友好的・敵対的に人間と交流する。そして人間はこの交流を通じ、人間知能／人工知能のフラット化を通過する。その結果、人間にポストヒューマンへの道が開かれる。他方、もしＡＩに物理的身体がないとして、そしてそれは現実には実現不可能で想像する以外ないのだが、そのときＡＩは、人間とは異なる世界に生きるものとなる。ヒューマンがポストヒューマンになるという意味での超越とは一つ階層が異なるこの超越の先に〈ポストヒューマンのパラドックス〉を克服したポストヒューマンは存在しているのかもしれない。ただそれを表象している映画は、少なくとも現時点では存在していない。

【註】

（※1）梁英聖『レイシズムとは何か』（二〇二〇年）を読むとレイシズムとナショナリズムが不可分であることが分かる。ＡＩ否定論とヒューマニズムもまた不可分である可能性がある。「人間とは何か」という本質的な定義は、「××は人間ではない」という否定的・排他的な言葉遣いによって支えられている。

（※2）私は英語ノンネイティヴなのでギャング英語がどのような感じに聞こえるか分からないが、この映画の面白い点は、ＡＩがギャング英語を学習していくことにあることは間違いない。あと、歩き方。撮影時はチャッピー役の俳優が実際に歩いた様子を元にチャッピーのＣＧを作っている。

第七章　我ら人間、サイボーグ

前章ではＡＩが登場するＳＦ映画を取り上げた。ＡＩも人間もディスプレイ上にフラットに並置されれば、ＡＩと人間は友好的または敵対的な交流を通していずれ融合していく。人間対ＡＩというプロットのＳＦ作品は多いが、本当の対立軸は〈人間＋ＡＩ〉と〈人間〉なのだ。人間とＡＩが融合したものはポストヒューマンへの道を進みゆくが、道中で人間と対立をせざるを得ない。他方、人間と融合せず完全に断絶したところにあるＡＩを想像＝創造することはできるのだろうかと挑発的に問うた。もしできるとしたらそれは神だ。

本章で論じるのはサイボーグである。身体上で機械と生体がフラットに結合したものとサイボーグをとらえるなら、ＡＩの問題と連続していることが分かる。本章前半ではサイボーグ小説を論じてサイボーグの概念や問題をクリアにする。後半ではＳＦ映画の金字塔《ターミネーター》をサイボーグＳＦとして取り上げる。一般的に《ターミネーター》は人工知能搭載型のロボットの物語であり、サイボーグは関係ないと思われるかもしれないが、考えれば考えるほど《ターミネーター》ほどサイボーグを考えるのに適切なテクストはないように思えるので取り上げた。

サイボーグとは何か、あるいは誰か

サイボーグとはサイバネティック・オーガニズムの略だ。サイバネティックス(cybernetics)とは提唱者ノーバート・ウィナーによれば人間・動物・機械におけるコントロール・コミュニケーションを学問横断的にする研究のこと。これに有機体・生命を意味するオーガニズム(organism)が結合しサイボーグ(cyborg)という言葉が生まれた。一般に流布しているサイボーグのイメージは〈身体の一部を機械によって置き換えられた人間〉だろう。完全にゼロから機械で構築されているものはロボット(外身)/AI(中身)と呼ばれ、まったく人工物が埋め込まれていない人間は人間と考えられる。単純化すればサイボーグはロボットと人間のあいだにいる中間的な存在である。

しかし、話はそう単純ではない。サイボーグを〈身体の一部を機械によって置き換えられた人間〉と定義したものの「身体の一部」「機械」「置き換えられた」は、考えれば考えるほど定義が難しい。究極的には程度の問題となる。

←人工物	自然→	
AI	サイボーグ	人間
ロボット		

サイボーグは広義の補綴技術である。補綴具とは古くは義歯、義手義足（義肢）といった「失われた体の一部を補うもの」だ。義歯も義肢も機械でなく、電気的な制御をしているわけではない。だから義歯を、あるいは義肢をつけていたら、すなわちサイボーグとはならないように思える。しかし、機械的な義歯、機械的な義歯があるとしたどうだろう。すでに義手義足では、電気的に制御できるものが作られ流通している。電気的制御とは、使用者の脳や周辺の筋肉から神経信号を読み取り、モーターを作動させ、身体と連動してスムーズに動かすことだ。さらには、義肢にセンサーを付け、脳にフィードバックをすることで、触覚の再現に成功しているものもある。機械のマニピュレーターが柔らかいものをつまむのが難しいのは、センサーがなくフィードバックができないために力の加減ができないからだ。これは義肢にもあてはまる。が、フィードバック機能を搭載した義肢はこの課題すらクリアしつつある。義肢の例を挙げたが、おそらく義歯にも同様なアップデートを施すことは可能だろう。やる意味があるかは別の話だが。

先に「義肢を装着しただけではサイボーグではない」と述べた。ではどのような義肢であれば人間のままであり、またはサイボーグになるのだろうか。置き換える「機械」の性質によってサイボーグ性が定義される。ピーター・パンのフック船長よろしく、欠損した身体の一部に木と金属でできた義肢をあてるだけであれば、大半の人に「人間」とみられるだろう。では、電気制御された義肢はどうだろう。電気制御されかつフィードバックのループもついた義肢は？　人間がもつ本来の身体能力よりも強い力を発揮することができる義肢であったら、どこまでが人間でどこからがサイボーグなのだろう？

ここまで「機械」について検討してきたが、次に「身体の一部」はどこなのかを考えなければならない。機械制御できセンサーによるフィードバックもある義肢を装着するのはサイボーグ的だ。では、義歯はどうだろう。歯を含む骨を人工物に置き換えることは現在でも広く行われている。あまりサイボーグ的には思えない。では、臓器はどうだろうか。現在、脳は技術的に機械で置き換えることは不可能だが、心臓、腎臓、肺、胃、肛門といった箇所は機械に置き換えられる。ただ機械が大きすぎて体内に収まらないものもある。となると「置き換えられた」という三つ目の項目とも関係してくる。人間の身体はデフォルトでは体内で完結している。外部にアタッチメントを装着しないと体内の臓器が機能しないものはない。だから本来的には「置き換える」とは体内に収まる別の機械装置を意味する。しかし技術革新がないと、おそらく人間の臓器並みに高性能かつコンパクトな機械を人間が作ることは不可能だ。肝臓の機能を再現するだけでちょっとした工場なみの装置が必要だという話を聞いたことがある。あるいは人工透析の機械と腎臓の大きさを比較しても良いかもしれない。人間の身体はよくできた小型・高性能な機械だ。これをテクノロジーで代替することは骨が折れる。

「置き換える」は単に欠損した身体を機械で置き換えることだけを意味しない。失われた機能を、別の身体部位・装置を使い代替することも十分に考えられる。視力を失った人に、目の代わりに機能する機械を目に移植する。あるいは、外部に設置したカメラで集めた映像を脳に直接送り込む。胃を失った人に胃とまったく同じ機能をもつ機械を移植することも当然「置き換え」であるが、おそらく胃と同じ装置を作るのは困難だろう。そこで胃の機能を代替する装置（胃そのものに似ていなくて良い）を作ってはどうか。

眼鏡はどうだろう。弱った視力を補強するためのものである。目そのものの視力を回復するわけではない（レーシックとは異なる）。失われた視力を前提として、それをどう補うのかが問題となっている。

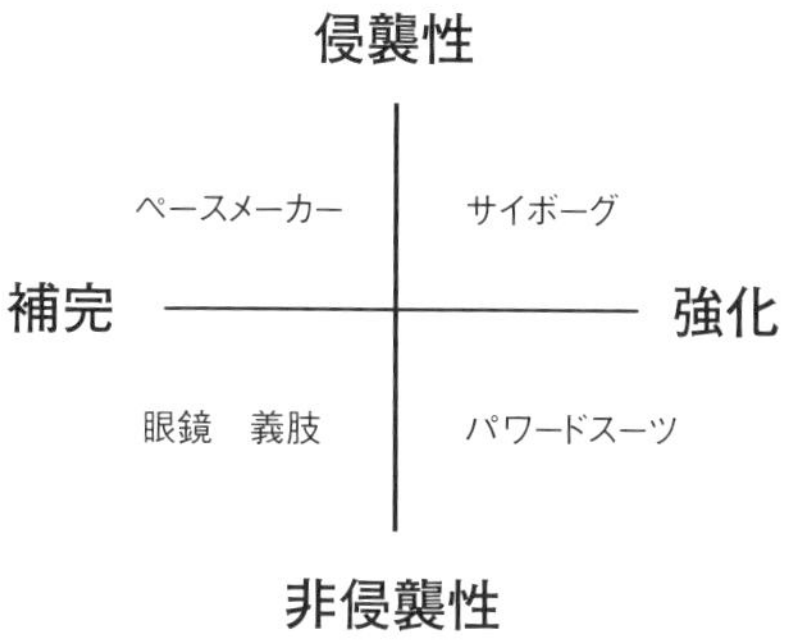

ざっと考えただけでも「機械」「身体の一部」「置き換える」はいずれもデジタルなゼロかイチかのどちらかしかとらないものではなく、アナログ的な広がり、スペクトラムを形成していることは理解できたと思う。突き詰めていけばサイボーグは「程度の問題」である。右記の議論を、〈身体に不可逆的な変化を加える〉侵襲性と〈身体に不可逆的な変化を与えない〉非侵襲性、〈失われた機能を補う〉補完と〈すでにある能力を拡張する〉強化の二本の軸で分類すると、上の表のようになる。

侵襲性の程度が高まっていくと、機械化されたパーツからのフィードバックを生体部分が受け取ることができる。そしてより「生体」に近づいていく。テクノロジーの発展史をたどっていくと、この表でいうところの左下（第三象限）から右上（第一象限）へと進んでいると考えられる。

「強化」カテゴリーにサイボーグとパワードスーツの二つを並べたが、もちろん両者の境界はあいまいである。典型的なサイボーグと典型的なパワードスーツは、確かに別々であるが、たとえば脳に埋め込んだチップから脳波を吸い上げて身にまとったパワードスーツを操作するという場合、侵襲性をもつパワードスーツである。また、『ロボコップ』のように死亡した刑事の死んでいない生体部分を機械の身体に移植した場合、サイボーグともいえるし、人間が入れ物としての機械の身体＝パワードスーツを操作するともいえる。思い出すべきは『ミュータント・タートルズ』のユートロム星人だ。あれはサイボーグか、それともパワードスーツか。

原克が『身体補完計画――すべてはサイボーグになる』（二〇一〇年）で一九二〇年代初頭の科学雑誌に見られるサイボーグ表象を分析したところによると、テクノロジーと人間が接するところで「通分」が可能となる。すると自他の境界、人間と機械の境界はたやすく侵犯される。二〇世紀初頭は、まだイメージにテクノロジーが追い付いていないのが現実であったが、とはいえすでにそこかしこにサイボーグ表象は溢れていたことは原が示した通りだろう。たとえば脳の活動が「脳波」というデジタル化された数値に還元されたことで、人間の「崇高な」精神活動はその他の自然現象と「通分」され、シームレスに接続される。本来は異質な人間身体と機械をシームレスに通分し、サイボーグを産み出そうとする野心的な視線を、ここでは〈サイボーグ化のまなざし〉と定義する。

これから行うサイボーグ表象の分析は〈サイボーグ化のまなざし〉が貫くもの／貫けないものを見ていく。

サイボーグ、怨念、ブルース――平井和正『サイボーグ・ブルース』

日本SFでサイボーグといえば、士郎正宗・押井守『攻殻機動隊』、あるいは二〇一九年に『アリータ：バトル・エンジェル』（ロバート・ロドリゲス監督）というタイトルで映画にもなった木城ゆきと『銃夢』を思い浮かべるかもしれない。が、ここでは時代を少しさかのぼり、平井和正『サイボーグ・ブルース』（一九七一年）を取り上げたい。（*1）サイボーグの典型的な悩みが主題となっている。

人間なのかロボットなのか。彼は自分のことをゾンビと呼ぶ。名前はアーネスト・ライト。元黒人警官。仲間の裏切りにより脳の三分の一を残して焼失。代わりに与えられたのは並みの軍隊以上の破壊力をもつサイボーグ・ボディ。サイボーグ特捜官として生まれ変わったライトは今日も一人で事件を捜査する。……とあらすじを紹介してみると、ポール・バンホーベン監督『ロボコップ』と似ていることに気づく。ただし『ロボコップ』は一九八七年の映画なので、『サイボーグ・ブルース』のほうがだいぶ早い。

先ほどのサイボーグの四象限マトリクスに照らしてライトのサイボーグ度を考えてみよう。彼は事故／事件により、体のほぼすべては機械である。これがないと生存できないという意味で失われた身体機能の補完がサイボーグ化の目的だ。ただし補完だけにとどまらない。軍隊一個分の維持費がかかるともいわれる彼の機械身体は、相応の攻撃力が備わっている。ライトはサイボーグ００９よろしく、加速装置を搭載しほぼ無敵である。「ほぼ」というのは敵にサイボーグが出てこない限りということで、作中には殺人サイボーグが現れ死闘をくりひろげる。四象限マトリクスでいうと、第三象限〈生存〉から第一象限〈兵器〉へと、彼の身体は〈サイボーグ化のまなざし〉に貫かれている。

この〈サイボーグ化のまなざし〉が届かないのはどこだろう。

『サイボーグ・ブルース』は約半世紀前の作品だが古びていない。演出を現代風にアップデートすれば、アニメや映画にも十分になりえる素材だ。本作を五十年後の今でも魅力的にしているのは、ひとつには苦悩を全面に押し出していること。黒人＝非・白人、サイボーグ＝非・人間である主人公に二つの疎外＝非がついてまわる。身体は機械の動きをする一方で、精神は疎外され続ける。ライトは自身でサイボーグを次のように分類している。

サイボーグ特捜官と呼ばれる超人の群れはだいたい二つのタイプに大別される。電子神経系に適応して情緒を喪失してしまうタイプと、サイボーグ体といつまでも折りあいがつかず、怨念で自己を支えようとするタイプと。（六五八）

ライトはこう分類したうえで自分を後者「怨念型」だという。ライトの怒りすら通り越した怨念はこの作品を貫通する。生きることへの怨念？ 身体への怨念？ 組織への怨念？ 人間への怨念？これらすべてがぐちゃぐちゃに混ざり合った怨念に彼は突き動かされる。ライトという「軽さ」を帯びた名前からは想像できない「重さ」が彼にはある。

脳の三分の一以外はサイボーグ化したわけだが、逆にいえば脳の三分の一はサイボーグ化されておらず、このため自分の機械化された身体への違和が葛藤＝怨念として表明される。身体がサイボーグ化されたことを自ら認識することで生じる内的な疎外。サイボーグという異形の身体をもつことで生じる社会的な疎外（もっともライトは一見したところ、生身の人間と区別がつかないのだが）。ライトは黒人であり、サイボーグは人種のメタファーとしても読める。彼は作中でブルースを歌い葛藤＝怨念は物語に回収されていく。〈サイボーグ化のまなざし〉が届かないのは、彼の精神、彼の疎外感である。彼はサイボーグだが、サイボーグであるがゆえにきわめて人間的に悩んでいる。

しかし、この〈サイボーグ化のまなざし〉が届かないライトの精神も、完全に人間の精神であると言い切れないのがサイボーグの両義性だ。本作は、人間VS機械、政府VSシンジゲートという大きな対立構造を示しつつも、最終的にこの枠を超える新しい世界の可能性を示している。正義と悪は表裏一体でありどちらに属そうとも表層的な違いしかない。第三勢力として突如、ライトの眼前に現れた超能力者集団にライトは合流するが、これは争いを本質として考える従来の人間観からの逸脱／超越を、サイボーグと超能力者という疎外された人間たちが求めているのだといえる。人間から疎外された人間が人間そのものを超えようとする。これを弁証法的な人間の超越と考えるか、それともサイボーグ的なアイデンティティの確立と見るか評価は難しい。重要なのは、ライトの身体を貫いた〈サイボーグ化のまなざし〉が達した先にはサイボーグと非サイボーグの接触面があり、そこに別種の衝突が発生していることである。

シェル・パーソンと人間と――アン・マキャフリー『歌う船』

次に海外ＳＦの代表的かつ古典的なサイボーグ小説を論じたい。アン・マキャフリー『歌う船』（一九六九年）だ。ファンタジー作品を多く発表する彼女は、本書を含む《歌う船》シリーズのＳＦ作品でも知られる。

主人公はヘルヴァ。彼女はシェル・パーソン（殻人）である。シェル・パーソンは、重度障害をもって生まれ通常の生活は送れないと判断された人たちである。生まれた直後から「普通の」身体ではなく、機械に接続され機械的身体を操作することを学習する。やがて成長しシェル（殻）に収められた彼ら彼女らはシェル・パーソンとして宇宙船に搭載／搭乗する。自律的思考が可能なブレイン・シップ（頭脳船）として、宇宙空間で〈中央諸世界〉の任務に就く。シェル・パーソン単独でもブレイン・シップは操作できるのだが、パートナーとなる偵察官を乗せコンビで活動することが多い。偵察官は訓練を受けた「人間」でブラウン（Brawn／筋肉）と呼ばれる。偵察官＝ブラウンとシェル・パーソン＝ブレインそれぞれの頭文字をとってブレイン・シップの識別番号となる。本書は連作短編集であり、ヘルヴァは短編ごとに異なるミッションに別のブラウンを乗せて旅立つ。

シェル・パーソンはサイボーグである。では、シェル・パーソンが受ける機械化は、失われた機能の「補完」なのか新しい力を与える「強化」なのか。「それがないと通常の生活が送れない」という意味では「補完」機能である。しかし、それがあることで人間にはできない働きができるという意味では「強化」である。人間身体からかけ離れた「頭脳船」が機械化された身体として提示されたとき、四象限マトリクスで横軸として提示した「補完－強化」のスペクトラムは疑問に付される。何をもって補完といい、何をもって強化というのか。そもそも人間と同じ基準をシェル・パーソンに当てはめてよいのか。

シェル・パーソンは人間でもある。しかし、シェル・パーソンの生身の身体が露出することはなく、彼ら彼女らがどんな外見なのか決して明らかにされない。また、本人たちも自分の身体に関心を向けないように「条件づけ」されている。ライトと異なりシェル・パーソンは精神すらサイボーグ化されている。彼らの身体はシェルを収納する船そのものだ。彼らの身体は船へと拡張されている。生まれたときから自らの物理的身体を超える訓練を受けているため、自分の身体的アイデンティティへの葛藤というものは存在しない。葛藤――サイボーグが感じる人間的な葛藤であり、『サイボーグ・ブルース』で見られる「俺は、もう昔の俺じゃない」という苦悩――は、シェル・パーソンにはない。〈サイボーグ化のまなざし〉はシェル・パーソンの身体のみならず精神も貫通している。身体への改変を許容するのであれば、精神の改変を認めない理由はない。

『サイボーグ・ブルース』では身体のみ貫通し精神は破れなかった〈サイボーグ化のまなざし〉は、『歌う船』では精神／身体ともにサイボーグ化する。ただし『歌う船』にも〈サイボーグ化のまなざし〉が届かないところがある。ヘルヴァは相棒＝ブラウンとの関係で苦しむ。他者には〈サイボーグ化のまなざし〉は届いていない。ヘルヴァには可能である一体的な自己認識を、他の人間はヘルヴァに対して向けてはくれない。『サイボーグ・ブルース』のライトは、自己における疎外、二つの疎外を感じていた。対してヘルヴァは自己における疎外と他者からの「これは自分の身体ではない」という身体感覚への違和とは無縁である。その代わり彼女は自己と他者のまなざしのずれから生じる社会的疎外に苦しむ。

第一作「歌った船」で最初に組んだジェナンは理想のパートナーに思えたが、二人の関係は悲劇的な結末を迎える。その後は、彼女にとっての「理想のパートナー」を探す旅ともとれる。しかし、物語は船＝女／乗組員＝男のペアの図式に収まらない。

「あざむいた船」では、理屈っぽい融通の利かないブラウン・テロンが登場する。彼に対しヘルヴァは論理的な説得と「感情的な」反発もする。結局はテロンの判断は間違っていて、二人は窮地に陥る。ヘルヴァの見通しのほうが正しく彼女は持ち前の「歌」を使った物理的＝身体的な攻撃で敵を撃退する。

なぜマキャフリーは男性シェル・パーソンではなく、ヘルヴァという女性を主人公にしたのだろう。作者も女性だからか。英語では the ship を受ける代名詞が伝統的に she だからか。それとも、男＝〈理性・判断〉、女＝〈感情・身体〉という古めかしい図式を反復しているからか。

シェル・パーソンは船という機械的・拡張的身体を与えられながら、自らの人間的・生物的身体は秘匿される二重性をもっている。ヘルヴァを精神か身体かどちらかに押し込めることは無理だ。ブレイン・シップという名前や、彼女たちの人間的身体が見えないために、ヘルヴァを精神的な存在とみなすことは可能だが、それとまったく同程度に、ヘルヴァを物理的な存在とみなすことも可能だ。シリーズタイトルでもある「歌う船」は、彼女のもつ身体性をこれ以上ないほどに表現している。すなわち、彼女は女性であるが女性ではないという二重性を。

本書の最後に収録されている「伴侶を得た船」では、ヘルヴァからブラウンに指名されたナイアル・パロランという調整連絡官の感情的な苦しみがクローズアップされる。彼はヘルヴァのことを好意的に思っており、シェルに閉ざされた「彼女自身」を見たいという欲望を抑えることができないかもしれないと不安になる。

「だから、ぼくはきみの筋肉《ブラウン》になるわけにいかないんだ、ヘルヴァ［…］執着はよくあることで取り除くことができるなんていうくだらんたわごとは、言わないでくれ。ぼくは解錠言葉《リリース・ワード》を知っている。いずれ、それはナイアル坊やにとって重荷になるだろう。ぼくはきみがとじこめられている棺をあけずにはいられなくなる。きみの美しい顔をまのあたりにし、天使のようなほほえみに触れ、きみを抱き締めずにはいられなくなる……」（三三九）

人間・ナイアルにとっては、シェル・パーソンの入っている殻は「棺」で「本当の彼女」を閉じ込めているものだ。目の前の機械的船か秘匿される生物的身体かどちらに感情移入するのか迷い、ヘルヴァの身体の二重性に引き裂かれるのはナイアルという「理性的な」男性である。「理性的な」とカッコをつけたのは理性的ではないからだ。

先にも触れたがシェル・パーソンは、身体的なアイデンティティに混乱しないよう、生まれたときからの訓練に加え「条件づけ」をされている。自分の身体に違和感を覚えながら生き続けることは苦痛だ。「条件づけ」によりこの苦痛を根源的に取り除くことは、筋の通った考え方だ。他方、人間（パーソン）は、身体に違和感を覚えることはあっても、それは自分の身体であるから覚えるものであり、自分の生得的な身体ではないものに違和感を覚えないでいるシェル・パーソンを理解できない。結果、シェル・パーソンにどう接してよいかわからない。シェル・パーソンの身体のもつ両義性に、自身とシェル・パーソンとの関係性が根底から脅かされる。(*2)

タイトルの『歌う船』が明示するように、ヘルヴァは「歌う」。ライトもブルースを歌った。疎外された非人間的なサイボーグは、歌が好きなのかもしれない。このきわめて人間的なふるまいがヘルヴァの直面する他者との関わり方、社会的疎外の解決につながる。

ヘルヴァやその他の登場人物の人文的な教養が、物語で重要な役割を果たす。「殺した船」ではボブ・ディランが、「劇的任務」ではシェイクスピアが出てくる。とくに「劇的任務」では、エイリアン種族から科学的知識の提供を受けるために、人間の役者たちがエイリアンの惑星に「精神移転」し、エイリアンの用意した「外皮」を操ってシェイクスピアをやるのだ。そんな！　と思うかもしれないが、そんな！　なのである。シェル・パーソンというサイボーグ（ポストヒューマン）を描きながら、徹底的にヒューマン（人文的）な物語。エイリアンにシェイクスピアが理解されない可能性よりも、エイリアンですらシェイクスピアを楽しめるはずだ、という圧倒的な人文的教養への信念が勝る。

ライトと同様に、シェイクスピア的な人文知は弁証法的に人間／人文学（ヒューマニティーズ）に回帰するともとれるし、あるいは、異星でエイリアンの外皮を使って演じるシェイクスピアをまったく別の何か、新しい何かともとれる。

すべてはここから始まった──『ターミネーター』

二つのサイボーグ小説を読みながら〈サイボーグ化のまなざし〉とそれが届かないところを見てきた。ライトは身体をサイボーグ化されるが、精神は人間的であり、サイボーグ身体と人間精神の接触面に葛藤が生じる。ヘルヴァは身体のみならず精神も「調整」によりサイボーグ化されているが、サイボーグ船である彼女と乗組員の人間との接触面に衝突が生じる。〈サイボーグ化のまなざし〉はさまざまなものを貫通する。このまなざしが貫けないものと遭遇したとき、サイボーグvs非サイボーグの接触面が露わになる。サイボーグ的主体とは、従来考えられている人間vs機械の対立を内包する主体ではなく、〈サイボーグ＝人間＋機械〉vs〈非サイボーグ〉の外的衝突を経験する主体なのだ。

これから見ていくのは《ターミネーター》だ（シリーズ名は《ターミネーター》と記載し、個別の作品名は『ターミネーター』、普通名詞はターミネーターと書き分ける）。超有名SFシリーズを〈サイボーグ化のまなざし〉を使って分析することで、SF的な新しい解釈を導きたい。

一九八四年に巨匠ジェームズ・キャメロンの手によってこの世に生まれたSF映画『ターミネーター』と、それ以降続く《ターミネーター》シリーズ。アーノルド・シュワルツェネッガーが演じる殺人マシーン・ターミネーターをサイボーグに分類することはためらうかもしれない。アレはサイボーグではない、ロボットであると。ターミネーターは、ライトやヘルヴァのように人間的葛藤とは無縁であるように思える。人間の一部または全部を機械に置き換えてできているわけではない。しかし、シリーズが続くにつれシュワルツェネッガー演じるターミネーターは、人間的な顔／心を見せる。《ターミネーター》シリーズを追いかけることで、ターミネーター＝サイボーグという解釈とその可能性を考えていく。もちろん、サイボーグの向こう側には本書のテーマであるポストヒューマンが鎮座している。

舞台は一九八四年のロサンジェルス。突如発生したスパークを伴うつむじ風の中央に、全裸のターミネーターが出現する。望遠鏡で夜の街を眺めて遊んでいるだけの三人のパンクス風の不良から暴力的に服を奪う。少し遅れて一人の男が登場する。今度は、ターミネーターほど荘厳に登場できない。彼はホームレスが住むダウンタウンの路地裏に痛々しく落下する。

対照的な登場シーンだ。かたや筋肉隆々のマッチョで無表情な男。かたや引き締まった体をしているが痛みを感じ警察から追われる男。

私たちはシュワルツェネッガーが未来から送られてきた殺人マシーンであることを既に知っている。しかし、映画は演出によってターミネーターの視点を観客と共有することを慎重に遅らせる。この無表情な殺人鬼は何者だ？　人間離れした肉体は銃弾を食らったところで、効いていないぞ…。「人間離れした」というのは本来は比喩である。だが、ターミネーターを形容する場合は比喩ではなくなる。文字通り人間離れした存在＝マシーンを意味する。ターミネーターはナイトクラブに暗殺の目標であるサラ・コナーを追い詰めるも、未来から送られてきたもう一人の男＝カイル・リースの妨害で取り逃がす。ようやくターミネーターの正体が観客に提示される。ターミネーターの一人称的視界はコンピューターの警告色である赤色に染まり、白色の文字が次々に表示されては消えていく。(*3) ターミネーターの「内面」を垣間見ることが許された観客は、ターミネーターが殺人マシーンであることを理解する。あの人間離れしたシュワルツェネッガーの肉体は、人間ではないターミネーターのボディのマシーン性を表象しているのだと理解できる。

辛くもターミネーターの襲撃から逃げたカイルとサラの二人。カイルはサラに、自分とターミネーターは共に未来からやってきたこと、未来世界では人工知能を搭載した防衛システム＝スカイネットが人間に牙を剝き核戦争が始まったこと、人類による抵抗軍のリーダーはジョン・コナーという男であること、そしてサラ・コナーはその救世主の母であることを告げる。ロボットはジョン・コナーの母親サラ・コナーをジョンが生まれる前に殺す計画をたて、開発したタイムトンネルを用いてターミネーターを一九八四年の過去に送り込む。他方、ジョン・コナーも自分の母親抹殺を防ぐため部下であるカイル・リースを送り込む。

カイルとサラはターミネーターの追跡を逃れながら、お互いに惹かれあいやがて体を重ねる。二人は追ってくるターミネーターにタンクローリーを衝突させるが、メカニカルな骨格だけとなったターミネーターはなおも追ってくる。工場に逃げ込み手製の爆弾で攻撃に成功するもののカイルは命を落とし、それでも機能を停止しないターミネーターをサラはプレス機で押しつぶし完全に破壊する。物語の最後、身重のサラが一人で車を運転し、カイル・リースはジョン・コナーの父親であることが示される。

ロボット＋人工知能の殺人サイボーグとタイムトラベルを掛け合わせた有名すぎるＳＦアクション映画のあらすじは以上だ。さて、ポストヒューマンを考える上で注目したいのはターミネーターというロボットの表象のされかたである。

非人間的な人間シュワルツェネッガー

ロボット表象とは、作中に登場するロボットがどのように表象されているかということだ。人間型（ヒューマノイド）だけがロボットではない。ルンバのような自動で掃除をしてくれる機械もロボットであれば、サラ・コナーがターミネーターを押しつぶすプレス機も産業用ロボットの一部である。(＊4)《ターミネーター》シリーズには自律的な思考ができる人工知能を搭載し外見的にも人間と区別のつかない人間型ロボットがターミネーターとして登場する。ターミネーター、つまり人工知能を搭載したロボットは、厳密にはサイボーグではない。作中でも機械（machines）といわれている。サイボーグとは身体の一部を機械によって代替した存在だ。ターミネーターは人間的なものが何もないゼロから機械として／機械によって作られた。表面を人工皮膚で覆っているのは作戦上の都合だ。未来世界では人類は地下に潜む。地下基地に潜入し人間を抹殺するために外見上は人間と区別がつかないターミネーターが作られた。ターミネーターは、ロボットを人間に似せて作ったものであり、人間の中身をロボットに置換したサイボーグではない。

しかし、ターミネーターは単なるロボット以上の存在である。シリーズとして続編が続き、その都度、新しいターミネーターが生まれると、本来は純度一〇〇％のロボットであるターミネーターが徐々に人間的な存在へと傾き、ロボットと人間の中間生成物であるサイボーグに見えてくる。

まずはシュワルツェネッガーが演じる初代ターミネーターT－８００とその表象を考えてみよう。未来から送られてきた殺人マシーンの暴力的な非人間性が、ボディビルディングで鍛え抜かれたシュワルツェネッガーの肉体とシームレスに接続され、その肉体によって表象／再現されている。

《ターミネーター》といえばシュワルツェネッガーだ。一九八四年の『ターミネーター』、一九九一年のキャメロン監督『ターミネーター２』（以下『２』）、二〇〇三年のジョナサン・モストウ監督『ターミネーター３』（以下『３』）、二〇〇九年のマックＧ監督『ターミネーター４』（以下『４』）、二〇一五年のアラン・テイラー監督『ターミネーター：新起動／ジェニシス』（以下『ジェニシス』）、そして最新作である二〇一九年のティム・ミラー監督『ターミネーター：ニューフェイト』（以下『ニューフェイト』）の映画六作、すべてにシュワルツェネッガーは登場する(＊5)。

《ターミネーター》はシリーズを通じてシュワルツェネッガーという役者を必要とする。彼の筋肉＝肉体はターミネーターと等価である。『ジェニシス』や『ニューフェイト』では、『1』と比べて年を取った役者シュワルツェネッガーを、物語上で違和感なく登場させるために、人工皮膚も経年劣化するという設定が導入される。ひょっとすると『1』でもそういう設定はあったのかもしれないが、説明はされていない。シリーズにシュワルツェネッガーを出し続けるために導入されたといえるだろう。

シュワルツェネッガーは鍛えぬいた人間の身体（筋肉）を提示する。『1』で初登場したターミネーターT―800は裸体であった。ロサンジェルスの暗闇に浮かびあがる筋肉はあまりにも印象的だ。物語が進むにつれてそれを覆う人工皮膚は徐々に剝がされる。最初は修理をし、それでも足りない箇所はサングラスをつけて隠す。最終的に骨組みと警告色の赤を発する目だけになり、サラ・コナーを追い詰める。極限まで鍛えられた人間の身体と、その下に隠されているメカニカルな骨格が物語内で並置され、人間的な身体が非人間化される。人間は労働をすることで価値を生み出すが、価値を生み出した瞬間から労働が価値によって測られることに似ている。時給千円の価値を生み出す労働者は、同時に時給千円の価値しかない人間だというように。この瞬間こそ、暗殺ロボットであるターミネーターを、人間と機械のハイブリッドたるサイボーグに再解釈＝錯覚するチャンスだ。

ここに生じているのは認識の逆転現象だ。ロボットに人工皮膚を被せたターミネーターは、徹頭徹尾ロボットである。しかし、ターミネーターが内部のメカニカルな内部構造を露出させ自身の身体を非人間化させることで、観客は誤認する。実は、人間＝役者としてのシュワルツェネッガーは体の内部を機械に置き換えられたサイボーグではないのか、「こんなに立派に鍛えられた筋肉には秘密があるに違いない。ひょっとしたら内部に金属フレームが埋め込まれているのかもしれない」と。もちろん私たちは役者シュワルツェネッガーの肉体に金属フレームやアクチュエーターが入っていないことを知っている。常識としてそう信じている。しかし《ターミネーター》を見るたびに、役としてのターミネーターと役者としてのシュワルツェネッガーは重ねあわされ、サイボーグ化された身体として、ターミネーター／シュワルツェネッガーを見てしまう。

かくしてシュワルツェネッガーの非人間的なまでに鍛えられた身体は、ロボットであるターミネーターの人間化を誘発し、ロボットと人間の中間に位置づけられる存在＝サイボーグとしてターミネーターを捉えなおす契機となる。

ここまでは身体というハードウェア（容れ物）についての話だった。では心／プログラムというソフトウェアはどうだろうか。『2』の、あるいは『ジェニシス』や『ニューフェイト』のT-800は旧型のターミネーターでありながらも学習し人間らしい振る舞いを身につける。『2』ではサラの息子ジョン・コナーにジョークを教わり、人を殺さないという規範を得る。『ニューフェイト』では過去の自分の行動の不毛さを理解し、人間の家族をもち隠遁生活を送っている。問答無用で襲撃をする冷酷な殺人マシーンとして設計されているがゆえに、学習による「伸びしろ」はある。そして身体＝ハードウェアの場合と同じくソフトウェアにおいても、認識の逆転が起こる。人間的な心／プログラムを獲得したターミネーターを完成された姿とみなし、それ以前の暗殺者としてのターミネーターを、一部の機能が機械によって置換された存在、すなわちサイボーグだと考えてしまう。脳に機能不全を起した人が、脳の情報処理機能の一部をコンピューターで代替したとき、その人は脳をサイボーグ化したといえるだろう。同じように、人間的思考に到達した完成されたターミネーターが、自身のコントロールの一部をスカイネットに譲り渡していたと暗殺者たるターミネーターを再解釈＝錯覚する。むろん現実には順番は逆であり、「人間らしさ」はあくまで学習の到達点なのだが。

以上のように鍛えられた身体というハードウェアと、学習する人工知能プログラムというソフトウェアの両面から、ターミネーターT－800はロボットよりもサイボーグとして事後的に再解釈＝錯覚される。

液体金属型ターミネーターが体現するもの

では、次に《ターミネーター》シリーズに登場する、シュワルツェネッガーが演じるT－800以外のターミネーターがどのように表象されているのか見ていこう。

『2』では液体金属を主成分とするタイプT-1000ターミネーターが出現する。T-1000は、触れたものを模倣し、人間もまるごとコピーできる。ジョン・コナーの養父母はこのマシーンに殺されているが、その直前、養母になりすましジョンに電話をかけている。体の一部を自在に武器に変形させたり体をまるごと別の人間に作り変えたり、また銃弾を受けても物理的なダメージをほとんど受けない姿に、「どうやれば勝てるのか?」と観客は絶望する。

『2』は『1』よりも十年ほどあとの世界が舞台だ。スカイネットによる人類総攻撃を未然に防ごうとスカイネットの生みの親であるサイバーダイン社を破壊しようとして逮捕されたサラ・コナー。息子のジョンは養父母の下で育てられている。そこに『1』に現れたターミネーター(T-800)と、新型のT-1000。当初は、T-800を味方だと信じられないサラだが、自分とジョンを襲撃するT-1000から守る姿を見てT-800の話を受け入れる。『1』では人間vsターミネーターであったが、『2』は旧型ターミネーターvs新型ターミネーターと対決図式が変化する。新型は、旧型が次々に繰り出す強力な物理攻撃を自身の身体=液体を最大限に活用し無効化していく。

この液体金属型ロボットは、シュワルツェネッガーの身体と対極にある。シュワルツェネッガーが「剛」だとしたら、液体金属型は「柔」だ。物語はしかし、ことわざとは異なり剛が柔を制する。『2』以降、仕切りなおした『ジェニシス』や『ニューフェイト』においても好まれる敵ターミネーターは、この液体金属タイプだ。『ジェニシス』にはイ・ビョンホン演じるT－1000と、未来世界でジョン・コナーと融合したナノマシンタイプのT－3000が登場する。T－3000も固体か液体かといえば液体型のターミネーターで、強力な物理攻撃を容易に吸収・回避することができ非常に手ごわい。『ニューフェイト』はスカイネットによる核戦争は回避された別の時間軸で、しかし今度はリージョンと呼ばれる人工知能が人類の抹殺を図る。リージョンから送られてきた刺客はRev－9という名のターミネーターだが、T－1000を連想させる液体金属型である。自分の分身を作って二体同時に攻撃をすることもできる。

スカイネットなのかリージョンなのか、『2』なのか『ジェニシス』なのか『ニューフェイト』なのか問わず、重要なのは、繰り返しT－1000（またはそれに類似するタイプの）ターミネーターが現れることだ。《ターミネーター》はシュワルツェネッガーであり、敵ターミネーターといえば液体金属型といえるほどだ。なぜここまで液体金属型が敵役として人気なのか。

シュワルツェネッガー演じるターミネーターT－800が体現するのは圧倒的なパワーと耐久性である。敵ターミネーターの攻撃によって損傷は受けるが、人間と比較すれば圧倒的な強度である。この攻撃力と防御力をあわせて「剛」だと前述した。硬いものに硬いものをぶつけても、単なる力比べにしかならず、アクションシーンにもメリハリが出ない。だからT－800の「剛」とはタイプがまったく違う、いわば「柔」のターミネーターが要請されたのだと考えられる。『1』で究極のパワーをもつ存在として描かれたT－800がそれでも新型には勝てない。さてどうすればよいのか。物語には緊張感が漂う。

むろんこれは作劇上の論点だ。今ここで考えたいのは、批評的な論点である。T－1000（液体金属型）ターミネーターが、人類の脅威として、スカイネット／リージョンの化身たる象徴的な存在として現れT－800と対決し続けるのはなぜなのか。人類の脅威たる液体金属型ターミネーターは、人類のスカイネット／リージョンへの恐怖が具現化したものでもある。攻撃されるものに恐怖を抱くのは、当然の帰結である。しかし人間は無意識的に、恐怖しているから攻撃されると因果を転倒させてしまう。自身が一番恐れているものを見てしまう、欲してしまうという倒錯した欲望が私たちの意識の奥に潜んでいる。液体金属はだから人類の恐怖を具現化している。

液体金属型ターミネーターは、外的な境界は維持しつつも内的な器官には境界がない。部分の独立性と全体の総合性という人間やロボット、そのハイブリッドであるサイボーグの特徴がない。内部にあるすべてのパーツは、別のパーツすべてと交換可能であり、一見すると個別に独立しているように見えるが、それはあくまで見せかけだけだ。すべての個は差異が抹消されすべてへと回収される。これは人類が抱くスカイネットへの恐怖と相似形だ。スカイネットは防衛ネットワークである。ここを破壊すれば人類の勝利であるという中心はない。中心があるように描かれてもいるが、勝利までたどり着かない。『4』のエンディングは、戦闘の勝利を暗示するが、戦争そのものの勝利を意味しない。

対個人の水準で見た液体金属型との戦闘は、対組織の水準でみるとスカイネットとの戦争へとズラすことができる。

ここまでの議論を整理してみよう。シュワルツェネッガー演じるターミネーターT－800は、完全なロボットであるにもかかわらず、シュワルツェネッガーの肉体（ハードウェア）および学習する人工知能プログラム（ソフトウェア）の両面から、シリーズが続くにつれ人間化されていった。T－800は人間とロボットの中間地点にいるサイボーグであると再解釈＝錯覚できる。他方、T－1000を代表とする液体金属型ターミネーターは頻繁にシリーズに登場し、「剛」たるT－800に強大な「柔」なる敵として立ちはだかる。作劇上の要請もさることながら、人類がスカイネットに抱く中心なきネットワークへの恐怖を具現化したものと液体金属型ターミネーターを捉えられる。

さらに一歩進んでみたい。《ターミネーター》はしばしば「人間とロボットの戦い」と理解される。現在の人工知能ブームを受けて、「人工知能がシンギュラリティを超えたら、人類に敵対しないだろうか？」という人間の恐れの具体例として紹介されるのが《ターミネーター》である。もちろん《ターミネーター》を「人間と自律型人工知能を搭載したロボットの戦い」と要約することは間違いではない。『1』はそう作られてもいる。しかし《エイリアン》シリーズ同様、《ターミネーター》も作品が続くにつれ、人間vsロボットの対立軸は揺らいでいく。シュワルツェネッガーをサイボーグとして見ることは、〈人間－サイボーグ－ロボット〉のスペクトラム上にその他のキャラクターをそれぞれ配置していくことにつながる。『4』の主人公たるマーカス・ライトは元死刑囚。死刑執行後の遺体はサイバーダイン社に引き取られ、人類の抵抗軍基地に潜入するためにターミネーターとして復活させられた。マーカスは、自分が人間なのかロボットなのかという実存的な問いに悩みながら、ジョン・コナーと共闘する。あるいは『ニューフェイト』のグレース。彼女は人間であるが、体内に動力源を埋め込み、リージョンの敵ロボットと戦闘できるように強化したサイボーグである。《ターミネーター》シリーズに出てくるキャラクターたちは、人間なのかロボットなのかあるいはサイボーグなのか、〈人間—サイボーグ—ロボット〉のスペクトラム上をうろうろと徘徊する。

この〈人間—サイボーグ—ロボット〉のスペクトラムに対立するのがスカイネット／リージョン、それが人の形として具現化したT—1000（や液体金属型）ターミネーターだ。人間vsロボットという対立図式はすでに解体されている。もはや人間はロボットと融合し多かれ少なかれサイボーグとなった。考えるべき軸はサイボーグvsネットワーク、〈人間と機械のハイブリッド〉vs〈内部の差異を抹消して外部との境界を維持する液体的な存在〉だ。

ライトの身体、ヘルヴァの精神と身体を貫いた〈サイボーグ化のまなざし〉は《ターミネーター》のキャラクターをも貫く。多々登場する人間とロボットのキャラクターは〈サイボーグ化のまなざし〉により〈人間—サイボーグ—ロボット〉のスペクトラムに再配置される。人間もロボットもどこかしらサイボーグとされ、人間vsロボットの戦争は人間とロボットの共闘へと変換しうる。〈サイボーグ化のまなざし〉が貫き通せないサイボーグと非サイボーグの接触面に衝突が発生する。繰り返しシリーズに登場し続ける液体金属型ターミネーターが、サイボーグと非サイボーグの接触面を表象／再現している。人間と機械のハイブリッドはサイボーグであり、すなわちポストヒューマンの可能性をもつ。他方、後者の〈液体的な存在〉もまたサイボーグとは別系統・別種のポストヒューマンである。『風の谷のナウシカ』で見たポストヒューマン同士の種をかけた闘争を《ターミネーター》に見いだせる。

補論——タイムパラドックスSFとして

最後に、ポストヒューマン論から若干離れることは承知で、タイムパラドックスSFとして《ターミネーター》シリーズを考えてみたい。

『1』のプロットは「父殺しのパラドックス」に近い。タイムマシンが発明されたとして、発明者が過去に遡り自分の父親を殺したとしたら、自分も生まれず、発明者たる自分が生まれなければタイムマシンもまた発明されない。だからタイムマシンは存在しえない。『1』では救世主ジョン・コナーを打倒することが困難だと判断したスカイネットは、ジョンよりも容易に殺害できるとふんでサラ・コナーを標的にした。しかし『1』のあらすじで紹介したとおり、そもそもカイルがサラを守るために一九八四年の過去に送られてこないとジョン・コナーは誕生しない。となると『1』においてスカイネットが過去に暗殺者を送り込むこと、サラ殺害を防ぐために抵抗軍もカイルを送り込むことは、既に決まっていたのだ。これは父殺しのパラドックスを回避する一つの方法である。自分が生まれてきたという事実がある以上、父は殺されない。

『2』はスカイネットによる核攻撃開始（審判の日）の前の話であり、審判の日をとめることができるかどうかが焦点となる。『1』でサラが破壊したターミネーターの残骸がサイバーダイン社に回収され、研究のブレイクスルーとなり、スカイネットを生むことになることが明らかになる。『1』の歴史もスカイネット誕生に必要であったことが示唆されている。未来からのあらゆる痕跡を抹消しなければならないと気づいたサラたちは、頭部にあるチップを破壊するために自ら溶鉱炉に入っていくT－800と悲しい別れをする。『2』の戦いは未来を変えることになったのだろうか。『3』を見ると残念ながらそうとはいえない。

母親から聞いていた「審判の日」を迎えるもスカイネットの攻撃はなく、自分たちが未来を変えることに成功したのだと安堵するジョン。しかし、審判の日は回避されたのではなく、ただ遅れただけだと三度、未来からやってきたターミネーターT－850（T－800の改良型でシュワルツェネッガーが演じている）にいわれる。『3』は審判の日を迎え、混乱しながらも人類抵抗軍の指導者として立ち上がるジョンの姿で幕を閉じる。『3』のプロットはタイムトラベルSFのパラドックスの対処方法の一つでもある。過去に行きある大きな事件を回避し、歴史を改変した場合、似たような現象が起こるというものだ。たとえタイムトラベルで過去を変えたとしても、部分的な変化であり、大きな流れには変化がないというものだ。(*6)『4』は審判の日の後二〇一八年を舞台に、抵抗軍とスカイネットの死闘を描く。誰も過去に行かないので、タイムパラドックスに関わる問題は生じない。パラドックスがあるとしたら、若い姿のターミネーターをどうやって年を取ったシュワルツェネッガーに演じさせるか、ということぐらいである。そしてこれは映画を作るときの問題だ。

『ニューフェイト』はスカイネットによる審判の日を未然に防ぐことはできたものの、リージョンという別の人工知能ロボット軍が組織され、人類に殲滅戦争を仕掛けている。これはどちらかというと『3』に近い。タイムトラベルである歴史的危機を回避したところで、時間の大きな流れには変化が起こらないため、別の歴史的危機が生じるのだ。

『ジェニシス』はもっと大胆にタイムパラドックスの解消を試みる。『1』と『2』の印象的なシーンを反復しつつ、タイムトラベルによって生じた異なる世界（並行世界）を描く。その世界ではスカイネットの代わりにジェニシスというコンピューターシステムがあり、リリースを目前に控えている。『ジェニシス』は三部作として構想されていたという話もあり、『1』『2』の良い点を発展的に引継ぐ意図がはっきりと見える。その際、シュワルツェネッガーの加齢を合理的に説明し、T－800に敵役として魅力的なT－1000の機能を部分的に与え、かつ敵をスカイネットではなくジェニシスと再設定している。サラ、カイルと、人間的ユーモアと新しい能力を獲得したT－800の三人が新しい世界で生きていくことが示されて『ジェニシス』は幕を閉じる。倒したはずのT－3000が蘇る含みのあるシーンが挿入され続編への布石となるが、興行成績もふるわず今のところ続編はない。『ジェニシス』の後に作られた『ニューフェイト』は『ジェニシス』とは異なる時間軸にあるとされる。『2』の正当な続編と強調されていたのはそういう理由である。

ここまで《ターミネーター》映画六作をタイムパラドックスを鍵にして見直してみた。タイムパラドックスへの対処法として①そもそも過去に来ることはあらかじめ決まっていた②過去を部分的に変えられても大きな流れは変えられない③タイムトラベルすることで別の並行世界へ移動するので矛盾は発生しないの三つが確認できた。タイムトラベルSFはパラドックスの回避として並行世界を生み出す。これを映画に当てはめると、『1』の作られた瞬間に無数の続編を許容したといえる。それでも『1』『2』は慎重に、審判の日以前に舞台を設定することで、未来からの刺客もすでに歴史に組み込まれたものとして対処した。そうすると、必然的帰結として審判の日は避けることができなくなる。『3』や『ニューフェイト』では回避できず、ただ遅らせた／別のものにしたことで、時間の大きな流れの存在が明らかになった一方、『ジェニシス』は舞台を並行世界へと移動させた。しかし、そこにもスカイネットの後継たるジェニシスは存在している。人類の運命といっても過言ではない時間の大きな流れは、変えることはできない。個別の作品は最後には登場人物たちは勝利を収める。ただしこれらの勝利はあくまでマイナーな価値しか持ち得ない。過去を変えるべく何度となくタイムトラベルしようとも、タイムトラベルを経て並行世界へ移ろうとも、スカイネット／ジェニシス／リージョンという存在は消えるどころか分裂・増殖する。『ニューフェイト』の続きなのか、それとも別の作品の続きなのかはわからないが、いずれ続編は作られるだろう。そしてまた世界は分岐し、並行世界の中で人間と機械が融合したサイボーグたちが戦う相手はスカイネット的な存在だろう。この戦いに終わりはない。タイムパラドックスの扉を一度開けてしまうと、それを閉じることは原理的にできないからだ。


【註】

（※1）日下三蔵編『日本ＳＦ傑作選４　平井和正』（二〇一八年）所収。

（※2）サイボーグ化が生み出す自分の身体への違和が、アイデンティティへの重篤な危機となるのは、ジェフリー・ナックマノフ監督『レプリカズ』（二〇一九年）で、ロボットボディに人間の脳神経の活動をアップロードできないこととつながっている。主人公はこの問題の解決方法として、機械のボディにアップロードする身体に「アルゴリズム」で条件づけをすることを思いつく。実際には機械の身体であるが機械の身体だと認識しないように、意識を調整する。これはシェル・パーソンに施される条件づけと同じである。このプロセスを経て復活した人間は、果たして「人間」なのかという疑問はある。

（※3）映画演出において異質な他者の一人称視点を取り入れるかどうかは、議論が分かれるところだろう。

《エイリアン》では『3』には明示的にエイリアンの一人称視点が取り入れられた。追いかけられる側を、追いかける視点から映すことで、追いかけられる側の恐怖を演出する意図は理解しつつも、エイリアンが異質な他者であるならば、人間の視覚に近いものをもっているとは限らない。『エイリアン3』では壁や天井をつたうカメラワークでエイリアンの異質さを示しているが、その程度といえばその程度だ。

（※4）サラが産業用ロボットを用いることで物語は象徴的なエンディングを迎える。高度な知能をもつ自律型ヒューマノイドを、人間の操作が必要とされるプレス機＝産業用ロボットが物理的な力で押しつぶすのだ。このシーンは、駐車場で仮眠をとっていたカイルが見ていた未来世界で仲間たちの白骨をマシーンのキャタピラが押しつぶす悪夢を反転させたシーンでもある。《マトリックス》で「支配（control）とは止めること（stop）ができること」というセリフが出てくる。《ターミネーター》にしろ《マトリックス》にしろ、人間を支配しようとする機械を止めるために、人間は自分が支配している機械を使わざるを得ない。

（※5）厳密には『4』ではボディビルダーの役者の体に若かりし頃のシュワルツェネッガーの顔をコンピューター合成したターミネーターT‐800が登場しているので、役者としてのシュワルツェネッガーは出ていない。としても『4』においても合成してでも登場させたい役者＝キャラクターとしてシュワルツェネッガーがいることは否定できない。

（※6）ヒトラーの暗殺に成功しても「別のヒトラー」が登場する話といえば理解しやすい。スティーヴン・キングの『11/22/63』はタイムトンネルを用いてJ・F・ケネディ暗殺をとめる話だが、そもそも変化に抗う時間の流れが強くて、そうやすやすと過去を改変できないし、改変できたとしてもその先にまっていたものはもっと陰惨な現代であった。

第三部　産む身体・殺す身体

POSTHUMAN

第八章　ル・グィンとティプトリーの身体性

ル・グィンとティプトリー

《第一部　他者との遭遇》は異星生命体（エイリアン）との遭遇を通して人間がポストヒューマンへと変容する様を追った。《第二部　機械化する自己》ではAI、ロボット、サイボーグというSFテーマを取り上げて、ヒューマンとマシーンの間にいる機械化された／されつつある自己をポストヒューマンとした。本章から始まる《第三部　産む身体・殺す身体》は身体性にフォーカスしたい。身体性とは、身体の意味を読み解くことであり、同時に身体に意味を付与することでもある。身体性の「性」が意味するのは、身体そのものからズレが生じている事態だ。まず第八章で広く身体性について考え、続く第九章では母体＝産む身体、第十章では兵士＝殺す身体に注目し、人間以上の身体性を獲得したポストヒューマンたちの姿を確認していく。

本章で論じるのはフェミニストSFを代表する二人の作家、アーシュラ・K・ル・グィンとジェイムズ・ティプトリー・ジュニアだ。

フェミニストSFとは、七〇年代前後に立て続けに発表された、ジェンダーやセクシュアリティをテーマにしたSFのことで、とくに女性作家の作品が目立った。そのなかで、ジェイムズ・ティプトリー・ジュニアは「マッチョな文体」の持ち主として、女性作家の活躍に負けない「男性作家」として評価されていたが、実はアリス・シェルドンという女性であることが判明する（一九七六年）。正体が明らかになる前後で作風への変化も見られるが、一貫して扱ってきたテーマもある。それはエイリアンネスとジェンダー／セクシュアリティである。

ル・グィンは、日本ではスタジオジブリのアニメにもなったファンタジー『ゲド戦記』の作者として有名だ。ファンタジーのみならず『闇の左手』『所有せざる人々』といった傑作SF長編も数多く書いている。

この二人がそれぞれ構築した独自の宇宙の特徴を作品から抽出していく。二人の考えるヒューマン／エイリアン、宇宙文明、さらに身体性を比べていきたい。

ポストヒューマンSFとしての『闇の左手』

ル・グィンは、自身が生み出したSF小説をまるごと包摂する巨大な世界〈ハイニッシュ・ユニバース〉を構築した。成り立ちは次の通りである。

遥かな過去、惑星ハインに生まれた人類は高度なテクノロジーと文明を築き上げさまざまな惑星へと植民していった。彼らの文明はやがて衰退し植民地星との関係は途絶えてしまうが、膨大な年月の後に再び文明と技術力を取り戻したハインは、かつての植民地星で今では独自の文化文明を築いた自身の末裔の人類と接触を始める。ハインを中心とする人類文明はエクーメンという組織を形成し、知識の共有・伝達方法を確立することで人類が住む惑星をエクーメンに加盟させるべく働きかける。かくしてテラと呼ばれる地球もエクーメンの一員となる…。

地球人類も人類文明の一員であるが、あくまでハインの末裔でしかない。地球人類が外宇宙に進出していき地球を中心とする巨大な文明ネットワークを築く話もSFにはあるが、ル・グィンは惑星ハインという中心を作り地球人類を相対化した。銀河文明の中心は地球人ではないという設定は、地球文明の中心は西洋人ではないという気づきとパラレルだ。ただし地球人類も末裔ではあるので、他の惑星に住む別の人類とコミュニケーションできる。地球人類を相対化しつつ、人類文明の普遍性を模索する。

ここに文化人類学の視線を読み込むことは無理ではない。観察者を中心に据えることはしない。観察者も相対化する。しかし、観察者とその対象は、まったく異なるわけでもない。両者の差異を前提とした共通点を探る試み。

ただしこれは裏を返せば、共通点の上にある差異ともいえる。人類とまったく断絶しているエイリアンは、少なくとも〈ハイニッシュ・ユニバース〉には登場しない。

〈ハイニッシュ・ユニバース〉の中心はエクーメンだ。エクーメンを貫く思想はきわめて明快である。彼らは「知識は善」であるとし、知識を求めるものには与える。正しい知識が広く共有されることが長期的に見て「良いほう」に向かっていくことを、経験的・思想的に理解している。そしてエクーメンから派遣される使節は、いずれもさまざまな出自・個性をもちながらもみなどこか似通っている。なぜならば、彼らが共通して信じている理念は出所を同じくし、端的にいうならばそれは啓蒙主義的な思想なのだ。(*1)

フェミニストSFの古典的傑作である『闇の左手』(一九六九年)も〈ハイニッシュ・ユニバース〉が舞台だ。エクーメン大使ゲンリー・アイが惑星「冬」を訪れ、エクーメンへの加入を促す。しかし現地政府の政治闘争に正体の怪しい「宇宙人」という立場が利用され翻弄される。政治犯として収容所に送られたところを、交渉していた国の宰相で、しかし裏切り者として追放されたエストラーベンによって救出される。

この物語で重要なのが、ゲセン人と呼ばれる惑星「冬」の人間たちは、両性具有であることだ。ケメルという繁殖期に入り、パートナー同士で身体的な接触をすると、どちらかが男性にどちらかが女性になり性行為に及ぶ。妊娠・出産も女性となったほうが担う。ゲセン人は、自分たちが男女どちらにもなることをわかっているので、地球のような形での男女差別は存在していない。というか、ケメル期を除いて人は性別がなく、恒常的・制度的な性差別を行うことは不可能である。

なぜゲセン人が両性具有であるかはっきりと明かされない。しかし、大使アイの報告書に挟まれている、彼以前に「冬」を訪れたものによる参与観察記録では、戦争をなくすために意図的に人体を改変した可能性が示唆されている。(*2)

そもそも『闇の左手』という小説自体が、大使アイ、エストラーベン、「冬」に伝わる伝承、参与観察記録といった複数のナラティヴから構成されている。巻末にはゲセン人のカレンダー・時計の紹介もついている。多層構造の小説であり、この書物自体が文化人類学の報告書・論文のようでもある。

ゲセン人が入植時に身体改変を施された人間であるという可能性は『闇の左手』をポストヒューマンSFとして読む道につながる。戦争、もっと普遍化していえば暴力、支配、人間の攻撃性は、性差として身体に構造化され、精神にプログラムされているという前提があるからこそ、両性具有のポストヒューマンを生み出すことで、戦争を超克しようとしたのだという仮説が説得力をもつ。

両性具有の社会にテラ人男性のゲンリー・アイが入っていく。ジェンダーをもった人間がジェンダーレスの社会で「変態」「異常」(pervert)として取り扱われる。エクーメンの科学技術では非物質の情報は光を超えられても、宇宙船やその乗組員は冷凍睡眠を使い膨大な時間をかけて宇宙を旅する必要がある。ゲンリー・アイは地球を離れ、惑星「冬」の軌道上に待機する母船からも離れ、一人でゲセン人の社会に分け入っていく。

冬山での逃避行で心身ともに極限状態に置かれるなか、エストラーベンと親密な時を過ごしたアイ。狭いテントの中でケメル期を迎え、自分から物理的に離れるように忠告したエストラーベンから、「女性とは何者か」と聞かれたアイは、有性社会から隔離されたゲセンでの長期にわたる生活の結果、「ある意味ではわたしにとって女性はあなた以上に異邦人といった感じですよ。あなたとはとにかく同じ性をわけあっているのですし……」(二五〇)と言う。この二人のやり取りは物語のハイライトだ。

宇宙人という意味でのエイリアンを描いてきたSFが、女性性(あるいは男性性)をこの地球上にいるエイリアンとして(再)発見したのがフェミニストSFの大きな功績である。エイリアンを異星人から異性人へと読みかえること。(*3) エイリアンは私たちの社会につねにすでに存在しているという気づき。これらのSF作品は、社会に構造化され個人に内面化された性差別を(再)発見していくフェミニズムの意識昂揚運動(consciousness raising)と共鳴している。

『闇の左手』のテラ人ゲンリー・アイはゲセン人エストラーベンと身体的に大きく異なっている。二人の身体的差異は、テラ人の男女よりも開いている。これは科学的な現実としてである。テラ人とゲセン人のあいだの性交渉は可能だろうが、おそらく妊娠はしないだろうとも言及されている。いずれにせよ、テラ人の男女よりも生物的・物理的に大きな身体的差異があるテラ人男性アイとゲセン人エストラーベンの間に、理解が生まれる。

この理解を愛と呼んでよいのだろうか。

あるいは相互信頼か。信頼であることは確かだ。権力闘争に巻き込まれていく過程でアイはエストラーベンを信頼せず、しかしエストラーベンはアイを信頼していたが、お互いのコミュニケーションの作法があまりにも異なっていたので信頼が相互のものとならなかった。

アイとエストラーベンの相互理解、精神レベルでの共感は、しかし二人の身体があまりにも異なっているからこそ実現したのだ。ここが『闇の左手』の肝である。アイは道中エストラーベンのことを女性としてとらえることがしばしばあった。ケメル期に男性であるアイと接触をすれば、エストラーベンは女性となり、アイと身体的・物理的に結ばれることが可能になる。しかし、それをしなかった。できなかったのではない、しなかったのだ。

すなわち私たちのあいだに友情の確信が突如湧いたのは、いましがたおたがいに認め、理解しあった、ただし和らげられない性的な緊張からであろうと。追放の身にある私たちになによりも必要であった友情、そしてあの苦しい旅の明け暮れにたしかめあった友情はいまはもう愛と呼んでもよいのかもしれない。（二六二）

身体的な差異があるから「理解できない」のではなく身体的差異があるから「理解できる」。共有不可能なものとしてある断絶を、共有可能な断絶にする。断絶は断絶である。しかし二人の間には相互理解という「橋」が最後にはかけられる。

だが、しかし。私はそう続けなければならない。結局のところ、テラ人もゲセン人も、同じ人間ではなかったか。同じ人間であるが、一方を身体改変されたポストヒューマンとすることで、人間内部の物理的差異を創造・発見し、この差異の克服をテーマとする。これはあまりにもマッチポンプではないか。

アイはエストラーベンと「国を愛しているのか」という問答をする。宰相でありながら国外追放処分されたエストラーベン。エストラーベンは一体、何に仕えているのか。何のために自らの命の危険を顧みず、囚われの身をなったアイを救出しようとしたのか。国のためだろうか？　明確な答えはないままエストラーベンは命を落とす。アイは、物語の最後、謁見したアルガーベン（エストラーベンの祖国の王）と次のようなやり取りをする。

「彼は祖国を非常に愛しておりましたが、陛下、国に仕える、陛下に仕えるというのではないのです。わたしが仕えている主人に彼も仕えていたのです」
「エクーメンか？」アルガーベンは愕いた顔をした。
「いいえ。人類です」（三〇八）

身体的差異を異なる身体であるがゆえに超えたアイとエストラーベンの二人の人間は、「人類」という抽象的な理念へと吸収されていく。啓蒙主義的な弁証法でヒューマンとエイリアンは〈より良いヒューマン〉へと止揚される。ル・グィンがゲセン人とテラ人という異なる身体の二人の間に人類的な愛を描いたのは、地球人類の男女の間にも人類的な愛が成立するのだと信じているように読める。

ここには身体的な差異の理念的抹消が起こっていないか。

情報の非物質性

ル・グィンが身体性を理念的に抹消（超越？）しようとする動機は〈ハイニッシュ・ユニバース〉の啓蒙主義にあり、さらにこの啓蒙主義の根底にあるのが情報の非物質性である。ル・グィンは少なくとも〈ハイニッシュ・ユニバース〉において情報を非物質的なものと考え、これがキャラクターの身体に付与される意味、すなわち身体性に大きく影響している。

宇宙に広がる巨大な文明圏を構築するSF作家を悩ませるのが、移動手段である。この移動には人間や物体の輸送だけではなく、情報の伝達も含まれる。文明圏とは、そこに所属する共同体が同じ文明に属しているという感覚がなければ成り立たない。この所属感覚を可能にするのが、モノや情報が共有されることだ。地球規模のモノ・情報の共有は、現代社会では極めて容易である。地球の裏側のことでさえほぼ瞬時に分かる。しかし、これが五百年前、千年前だったどうだろう。モノと情報の共有ができず、結果として文明圏の維持が失敗という例はたくさんあるはずだ。共有のイニシアチヴをとるのは中心となる共同体（国家）であり、その物理的リソースが文明圏の維持に欠かせない。

〈ハイニッシュ・ユニバース〉でル・グィンは、光速度は不変であり超えることができないというアインシュタインの方程式を受け入れた。ただし情報は非物質であるがゆえに光速を超えうると主張した。さすがに宇宙文明を維持するには、情報の共有は不可欠と考えたのだろう。そうして、超光速情報伝達装置アンシブルが発明される。アンシブルは情報のみだ。人間は宇宙船に乗って移動しなければならない。どんなに速い宇宙船でも光速を超えることはできないので、情報と人間の移動にタイムラグが生じる。

情報は非物質であるのでアンシブルで送受信することができる。では、情報処理を含む活動をする精神と、その入れ物である身体をもった人間はどうだろう。ル・グィンは、人を超光速で転送できるテクノロジーを「チャーテン」と名づけ実験を始めた。このチャーテン実験はいずれも失敗におわる。簡単に言えば、チャーテン技術で超光速移動を体験した人間は世界を正しく認識できなくなるのだ。(*4)

アンシブルでは瞬間転送が可能であった情報という非物質と、人間という精神性をもつ物質の根本的な違いは、後者は空間的に広がりその中で自己の認識を築いている点だ。情報を処理する観察主体である人間がチャーテンによって空間的な広がりを失うとしたら、それは情報を直線的に、因果関係という論理に従って処理できないことにつながる。人間の認識は空間性という枠組みなしでは機能しえないのだ。

ル・グィンにとって人間精神は物質的な広がりを必要とするものであった。一方、情報はそのような広がりを必要としない純粋に抽象的な数学的な概念である。だからアンシブル装置を使い超光速データ通信が可能なのだ。アンシブルとチャーテン理論が前景化した、精神には物質が必要だが単なる情報には物質は必要ないという区分は、〈ハイニッシュ・ユニバース〉の文明の根幹を成す。そしてこの哲学こそが『闇の左手』で見た〈より良いヒューマン〉への弁証法を駆動している。身体的な差異を超越しうる人類という理念は、質量ゼロ体積ゼロで空間的な広がりすらない非物質的な情報として光速を超えて宇宙に広がる。フィジカルな水準で発生する異質なものとの衝突を、非物質的な情報＝啓蒙主義の理念が超克する。チャーテン理論の失敗は人間の精神は身体とセットでなければならないことを意味しつつも、アンシブルの成功により物質的な制限にとらわれない情報＝理念の存在が示される。チャーテン理論の失敗を描くことで、ル・グィンは啓蒙主義的理念を物語世界に密輸入している。

ル・グィンが『闇の左手』で描出した異質さは人類の知＝知としての人類という抽象的・理念的なものへ回収される。そこに物質性はなくアンシブルで送受信できる。ただし注意しなければならないが、人類の知＝知としての人類はエクーメンのことではない。エクーメンというのはあくまで組織であり、そこにはアイをはじめとする一人ひとりの人間が大使として存在している。アルガーベンに「エクーメンか?」と聞かれ、「いいえ、人類です」とアイが答えていることを思い出そう。エクーメンという組織よりもさらに抽象的な人類の知＝知としての人類。

ル・グィンの作品は、どんなに非人間的な（非テラ人的な）世界とヒューマンを描いても、最終的には人間へと戻ってくる。ヒューマンとエイリアンの生物学的・物質的融合がポストヒューマンの可能性を示す《エイリアン》シリーズと異なり、ヒューマン（テラ人）とエイリアン（ゲセン人）のアウフヘーベンがもたらすのは〈より良いヒューマン〉だ。人間の延長であり断絶は見られない。

では、次にル・グィンの身体性と比べながら同時代に活躍したもう一人の「女性」作家を見てみたい。

ティプトリーとは誰か

ル・グィンとジェイムズ・ティプトリー・ジュニアの共通点はいくつもある。同時代に活躍した作家であること。フェミニストSFを多数、書いたこと。それに生い立ちにも興味深い共通点がある。二人とも幼少期からエイリアンネス（異質なもの）に触れている。ティプトリーは弁護士・自然史家の父ハーバート・ブラッドリー、著述家の母メアリー・ブラッドリーのあいだに生まれた。友人の探検家カール・エイクリーと一家はアフリカへ行き、その時の様子をメアリーは『ジャングルの国のアリス』という子供向けノンフィクションにまとめている。ティプトリー（本名アリス・ブラッドリー、結婚後はアリス・シェルドン）は、「野生のゴリラを初めて見た白人の女の子」とも形容される。彼女にとってアフリカ探検がエイリアンネスの原体験なのは間違いない。

一方、ル・グィンも父に文化人類学者アルフレッド・クローバーをもち、幼少期からさまざまな文化、ネイティヴ・アメリカンの伝説について聞かされて育った。『闇の左手』や〈ハイニッシュ・ユニバース〉が文化人類学的な視点やナラティヴと無縁ではないのは、彼女の出自と密接に関係している。

そして二人は、同時代を生きるSF作家として、互いを認め合っていた。手紙のやり取りもある。ティプトリーの正体が発覚したのち出版された短編集にル・グィンは前書きを寄せ、ティプトリーのその手際の良さをほめたたえている。「彼女はわたしたちをかつぎました。とことんかつぎました。でも、よくぞかついでくれましたと言うほかはありません」（ティプトリー『老いたる霊長類の星への賛歌』所収）。

この節を「ティプトリーとは誰か」とつけてみたが、この問いに答えるのは、実は結構、難しい。本名アリス・ブラッドリー。一九一五年生まれ。第二次世界大戦中に軍に入り、そこで夫となるハンティントン・シェルドンと出会う。戦後二人はCIAで勤務するが彼女のみ退職し、大学で心理学の研究を始める。博士号をとり（一九六七年）この間、教鞭もとるが体調を崩し退職。

小説家としてのデビューは一九六八年。当時、「女性ばかりが活躍するSF界で活躍している男性作家はジェイムズ・ティプトリー・ジュニアぐらいだ」と言われるほど、彼女の作品は（男性筆名とあわさって）マスキュランなものとされた。「ヘミングウェイ的なマッチョな文体」と形容されることもあった。

一九七二年からもう一つのペンネーム、ラクーナ・シェルドンも使い始め、ティプトリーの正体が一九七六年に露見したあとも作品を発表した。一九八七年、病気で体調が悪化した夫を銃で射殺し、持病に苦しんでいた彼女も後に続いた。彼女の名前は優れたジェンダーSFに贈られる賞の名前にもなっていたが（The James Tiptree, Jr. Award）、最近では「この名前のままでよいのか？」という議論が運営サイドで起こり二〇一九年から The Otherwise Award に名称を変更した。

と文庫解説と Wikipedia を足して二で割った程度のバイオグラフィを記したが「ティプトリーとは誰か」への答えになっているか判断するのは難しい。

もちろん、公的な部分をもつ作家と、それとは離れた私的な部分ももつ作家ではない個人は、ある意味で別の人間である。私たちが作家としての夏目漱石を考えるときは、彼の作家としてのふるまい（言説活動）から考えていくのが筋だ。他方で、プライベートな部分での経験も多分に作品に反映されていて、作品への背景として読み込んでいくことも批判されることではない。生身の個人とペルソナをかぶった作家との間の境界線をはっきりさせることはできない。だから「ティプトリーはアリス・シェルドンである」は答えとして不十分だ。もしそうならば、彼女はペンネームを創出するはなかったはずだ（ちなみにアーシュラ・K・ル・グィンは本名。夫の姓がル・グィン）。

生身の個人vsペンネーム作家という対立を持ち出したが、これは生物学的身体vs社会的性差と類比的である。作家の世界では、男性が女性名で、あるいは女性が男性名で作品を発表し、性別を隠しているのが長いあいだわからないことは結構ある。テーマ、文体だけから書き手の性別は判断できない。今でも、オンライン上で性別を変えて振る舞う人は一定数いるだろう。その理由はさまざまだが、なかにはかなりうまく続いているものもあるはずで、社会的性差（ジェンダー）がまさに社会的な構築物であることを、私たちにまざまざと見せつけてくれる。

ティプトリーは作品もそうなのだが、それと同じく、ティプトリーという作家そのものが、セクシュアリティ／ジェンダーを問題化している。ティプトリーという作家自体が、アリス・シェルドンによる社会的構築物ともいえる。「ティプトリーは誰か」という問いに「…という人物である」と答えることに抵抗を感じるとしたら、おそらくこれが原因であろう。

最後に日本での需要のされ方について言及しておこう。日本では彼女の代表作とされるものは次に論じる『たったひとつの冴えたやりかた』であろう（原著一九八六年、翻訳一九八七年）。これが彼女の遺作である。『たったひとつの』以降にも翻訳が次々と出ている。『たったひとつの冴えたやりかた』と同じ世界観に位置づけられる『輝くもの天より墜ち』は原著だと一九八五年で『たったひとつの冴えたやりかた』よりも前に出ているが、翻訳が出たのは二〇〇七年のことだ。日本での彼女の作品受容は、原著の発表順とはほぼ関係がなく、遺作から彼女の作品を読み始めた人も多い。

ティプトリーの宇宙〈スターリー・リフト〉

ティプトリーもル・グィンの〈ハイニッシュ・ユニバース〉のような宇宙を構築した。それが〈スターリー・リフト〉である。この宇宙世界に属するのは、短編「たったひとつの冴えたやりかた」「グッドナイト、スイートハーツ」「衝突」の三つ（すべて、同名短編集に収録）と、長編『輝くもの天より墜ち』だ。彼女が生きていれば、さらに物語は書き加えられていたかもしれない。

〈リフト〉と呼ばれる人類連邦未踏の領域。未知の星、未知の生命体・エイリアンがいると思われる領域。宇宙に進出した人類はすでにいくつかのエイリアン種族とファースト・コンタクトをし、銀河ピジン語を用いコミュニケーションし、連邦を形成している。しかし宇宙はあまりにも広い。人類が到達できたのはほんのわずかであり、手つかずの〈リフト〉が広がっている。短編「たったひとつの」と「衝突」は、〈リフト〉探検の初期における人類とエイリアンのファースト・コンタクトを描いている。一つは悲劇的なもので、もう一つはギリギリで惨劇を免れた（「たったひとつの冴えたやりかた」

はその悲劇的結末ゆえに「泣けるＳＦ」の代名詞ともなっている）。

ティプトリーの宇宙に出てくるエイリアンは多様である。ヒューマノイド型（「衝突」）もいれば、寄生生物型もいる（「たったひとつの冴えたやりかた」）。ティプトリーのエイリアンの多様性は、人類種とは別の知的生物がいるという多様性だけではなく、人間の人種的多様性のメタファーでもある。『輝くもの』では、ヒューマンが暴虐の限りを尽くした惑星ダミエムが舞台だ。ダミエム人は苦痛を感じると体液を分泌するが、これが人類にとって「最上の嗜好品」として流通する。ほかには宇宙戦争のさなか、人類が破壊した惑星種族もでてくる。宇宙に進出したところで人類は人類のまま愚かであり、そのために宇宙で出会うエイリアンという他者に対しても、地球上で白人が黒人に、あるいは植民者が被植民者に、支配者が被支配者に、多数派が少数派にしてきた残虐な行為を繰り返す。ル・グィンとの比較で際立つのは、エイリアンの造形の違いではない。ハインの末裔としてのヒューマンだろうと、まったく異なるエイリアンたちであろうと、造形は実は問題ではない。作者が他者像を投影しているのはどちらも同じだ。むしろ人間が愚かでい続けるのかどうかがル・グィンとティプトリーの対立点に思える。ル・グィンは〈ハイニッシュ・ユニバース〉で人間の進歩、啓蒙主義を信じている。他方ティプトリーは、そうではない。いっこうに人間は人間のまま進歩はおろか変化もしない。

衝撃的なことに、『輝くもの天より墜ち』の最後、虐殺の結果、保護対象となっていたデミエム人たちが、自分たちの分泌物（身体）を資本として人類連邦との商業を始めようとする。デミエム人の発想も「人間的」なのである。

エイリアン像の違いのほかにもう一つル・グィンとティプトリーの宇宙には違いがある。ル・グィンの〈ハイニッシュ・ユニバース〉であったアンシブルは、ティプトリー〈スターリー・リフト〉にはない。長い宇宙史のなかで超光速通信が技術的にも費用的にも大衆化されていくことは確かなのだが、これらの物語が書かれた時代においては、莫大なコストがかかるため、好き放題使うことはできない。代わりに用いられるのがメッセージ・パイプである。

連邦という一大文明圏を築いた人類は、長距離通信の際にメッセージ・パイプというモノ＝物体をやり取りする。まさかのパイプ通信である。宇宙連邦時代にアナログここに極まれり。メッセージ・パイプには、科学的必然性・合理性がもちろんある。〈リフト〉領域では、「どんな電磁波通信も、ほんの短距離をわたるうちに、聞き取れないほど歪んでしまう」（二二四）ため、メッセージ・パイプは必須なのだ。（＊5）

だから〈スターリー・リフト〉では、メッセージ・パイプが物語を運ぶ時間が重要なのだ。表題作「たったひとつの冴えたやりかた」では、途中までは主人公コーティー・キャスの宇宙探検が彼女に焦点をあてて語られるが、後半になるとコーティーが送り出したパイプを聞く人たちに焦点がずれる。彼らはコーティーの運命を知らない。パイプのメッセージ内容を届いた順に聞いていくため、物語に緊張感が生じる。本作の悲劇性は、冒険心の塊であるヒューマンの少女コーティー・キャスと、同じく好奇心に駆られ冒険の旅に出た寄生生物型エイリアン・イーアのシロベーンの二人が、出会うべくして出会うも、お互いの未熟さゆえに死んでしまうことにある。幼いシロベーンは、自身の生理反応をコントロールできず、寄生先の宿主＝コーティーを危険にさらす。コーティーは、自分が死に、イーアの胞子がばらまかれるとこの宇宙船に近づいたほかの人間たちも同様に死ぬことを理解し、宇宙船を近くの恒星に向けて進ませる。

実は、パイプが届いた時点で中のメッセージが伝えようとしていることはすでに起こってしまっている。パイプの周りにあつまった関係者たちは、記録された音声を少しずつ再生していく。それは悲劇と分かって読み進める本のように、読者を含む関係者の先を知りたい／知りたくないというアンビバレントな心情を喚起する。同様の物語構造は「衝突」にもみられる。〈リフト〉のこちら側で、〈リフト〉の向こう側から送られてきたパイプで人類とエイリアン種族ジーロとのファースト・コンタクトが語られる。キューバ危機を連想させる一触即発の戦争勃発の危機に「こちら側」の人間たちは手に汗を握るのだが「パイプの二十年もの長旅の果てに、いまさらあわてるなんて愚の骨頂」（二二三―二二四）なのだ。

多様なエイリアンと情報の物質性に加えてティプトリー宇宙の特徴としてもう一つ強調したいことがある。連作短編集として『たったひとつの冴えたやりかた』をまとめるときに、ティプトリーは各短編の初めに、短いスケッチを付け加えた。このスケッチが挿入され〈スターリー・リフト〉という同じ宇宙を共有しているという認識が生まれた。このスケッチはある惑星の図書館に歴史の課題を探しにやってきた若い学生エイリアンのカップルに、エイリアンである司書が「ファクト／フィクション」として「たったひとつの冴えたやりかた」「グッドナイト、スイートハーツ」「衝突」を紹介する。メッセージ・パイプにつぐアナログである、図書館、司書、本。だが、これらの要素はとても大事だ。〈スターリー・リフト〉の歴史を語りながら、司書モア・ブルーは学生に向かってこう言う。

「ご存じだろうが［…］ヒューマンは、ファクト／フィクションと名づけたものに長い伝統を持っている。つまり、重要な事件や時代をとりあげて、既知のディテールのすべてをそこにぶちこみ、ドラマティックな物語に再構成するわけだ」（八）

ファクト／フィクションで司書が意味するものは、物語として語られる事実だ。実際、人類とジーロのファースト・コンタクトを描いた物語「衝突」は、「このテキストぜんたいは〈探検の歴史〉の部にファイルされていた。［…］ファクト／フィクションのリファレンスをいくら見ても、これについては出ていない」（二一四）と司書が言うように、歴史的事実として扱われている。もっともこの扱われ方に司書は不満を漏らすわけだが。どうしてファクトをフィクションに交えて語る必要があるのか。それはとりもなおさず、時代・空間・種族を超えた理解を喚起するために他ならない。物語に感銘を受けた学生の一人は「すべての感情がこっちに伝わってきます。人びとは――いつの時代にも、やはり人びとなんです、ちがいますか?」(二一七)と興奮ぎみに司書に問いかける。

はるかな未来である。高度なテクノロジーをもっている宇宙人たちが、物理的な「図書館」で物質的な「本」をAIでもなんでもない「司書」が紹介するのだ。ここで私はティプトリーのSF作家としての先見性のなさを批判したいのではない。SFは未来を予言する文学であるかもしれないが、予測する文学ではない。予言とはありうべき未来の姿をヴィジョンとして提示することであり、たとえば天気予報や株価の上下といったアタリ/ハズレがついてまわる予測は、SFの任務ではない。当たろうが外れようが、そんなことはあくまで副次的なものだ。肝心なのは本質的なヴィジョンを提示できたかどうか。小説が書かれた時点の未来である現在から見るとハズレでも、本質さえ描出していれば優れたSF作品なのだ。

ティプトリーの〈スターリー・リフト〉は、非常に興味深いヴィジョンを提示する。一見すると単なるアナクロにしか見えないが、この〈図書館―司書―本〉のシーンは、情報の物質性をいやおうなく前景化する。

情報の物質性は、情報が歪む可能性をもたらす。モノ=物質は変形し、歪み、欠損する。あるいは何かが混ざりこむかしれない。聞き古したレコード盤が削れるように、あるいは光学ディスクが熱によって溶けるように、なんらかの物質として存在する情報はつねにすでに歪んでいる。エクーメンの世界では情報は非物質とされ、情報＝人類の叡智は決して歪まない。ティプトリーはもっと雑多だ。情報も物質で、歪むし壊れるし、そして遅れる。情報の物質性を前提とした文明をティプトリーは創出した。

ティプトリーが大事にしたのは、メッセージ・パイプという物体＝情報、〈図書館―司書―本〉という物質としての情報であり、ファクト（事実）と一体化して分けられないフィクション（物語）。そして彼女自身の人生、アリス・シェルドン／ジェイムズ・ティプトリー・ジュニアだ。

そもそもジェンダーという社会的性差は、生物学的性差という〈身体＝物質〉のうえに構築されるものとして考えられていた。ファクトの上にフィクションがのるように。しかし、考えれば考えるほど、生物学的性差／社会的性差ははっきりと弁別できない。ファクトがフィクションを規定し、フィクションもまたファクトを規定し返す。セックスがジェンダーを呼び込むが、ジェンダーによってセックスが再定義される。社会的性差というまなざしによってはじめて生物学的性差という概念が誕生するとさえいえる。両者は溶け合っている。生物学的性差と社会的性差をまったくの別物、まったくの恣意的な関係として、別個に考えることは不可能だ。生物学的身体と社会的性差は、もはや二者択一のトレードオフではなく、スペクトラムに広がり、配置される場所も動きつねに安定しない。

以上の議論を整理しよう。ル・グィンの『闇の左手』はポストヒューマンたるゲセン人エストラーベンと、ヒューマンであるテラ人のゲンリー・アイのディスコミュニケーションから始まるが、両性具有か性別があるかという両者の身体的な違いは、政治的危機と生命の危機が重ねられる局面で身体的差異も包括しうる相互理解＝愛によって克服される。エクーメンが体現する人類の知＝知としての人類は、啓蒙主義の光を宇宙の隅々まで照らす。ただし〈ハイニッシュ・ユニバース〉に連なるその他の短編で見たように、この宇宙規模の啓蒙主義には質量も体積もなく、物質的な根拠も、空間的な広がりも欠く。精神と身体を同時に運ぶチャーテン理論は失敗するものの、情報オンリーの超光速通信アンシブルは可能とされる。情報に物質性を与えないために、身体に固有の身体性が捨象されてしまう。

ル・グィンの〈ハイニッシュ・ユニバース〉と比較しながら読んだティプトリーの〈スターリー・リフト〉を舞台にした一連の物語では、情報伝達手段としてアナログであるメッセージ・パイプが使われていて、図書館では司書が紙媒体の本を薦め、その本はファクト／フィクションというカテゴリーに分類される。ティプトリーは、単に「事実に基づいたフィクション」（This story is based on a true story.）という区分だと言いたかったのかもしれない。しかし、このカテゴリーは、〈スターリー・リフト〉の宇宙観と照らしてみると深い意義をもつ。情報と物質を分けられないことは、作家と個人が分けられそうで分けられないティプトリー／アリスの人生と呼応しつつ、ティプトリー世界の独自の身体性構築に一役買っている。

【註】

（※1）アーシュラ・K・ル・グィン『風の十二方位』巻末の安田均解説を参照。

（※2）植民先の惑星入植時に、人間身体にテクノロジカルな介入をするというのはSF的にはよくある話で、すでに紹介したイーガン「祈りの海」や次章で論じる新井素子『チグリスとユーフラテス』も該当する。

（※3）小谷真理『エイリアン・ベッドフェロウズ』（二〇〇四年）に詳述されている。

（※4）『内海の漁師』所収の「ショービーズ・ストーリー」「踊ってガナムへ」「内海の漁師」は、どれもがチャーテン理論の実験を描いたSFである。「ショービーズ・ストーリー」で初めてチャーテンを体験した宇宙飛行士は、経験が断絶し、知覚に異常をきたす。「踊ってガナムへ」にはテラ出身のエクーメン大使ダズルズが登場。首尾一貫して現地の社会に関わることができている考えるとダズルズだが、「彼の物語」「現地の人々の物語」「他のクルーの物語」が情報という抽象的なレベルを超え物質的な水準で衝突する。

（※5）この設定は『機動戦士ガンダム』のミノフスキー粒子を連想させる。

第九章　フェミニスト・ユートピアは（どこに）あるのか

この章では日本のフェミニストSFをテクストに、産む性に施されるテクノロジカルな介入と結果として生じる身体性のゆらぎを見ていく。

フェミニスト・ユートピアとは

SFは〈もし〉の文学である。

SF作家や評論家が重要と考える二つのレトリックには、外挿法（extrapolation）と思弁法（speculation）がある。二つの用語を対立するものとみなすものもいれば、連続しているとみなすものもいて、カッチリ定義することは難しいし本書のテーマでもない。私が考えるざっくりしたイメージを伝えると外挿法は「もし…という状態が続くならば世界はこうなるだろう」という外向きの思考で、思弁法は「今の世界はひょっとしたら…かもしれない」という内的な思考。前者は仮定〈もし〉と、後者は可能性〈かもしれない〉と結びついている。ただ〈もし〉と〈かもしれない〉は密接に連動し、これは外挿法の作品であれは思弁法の作品とはっきり分別できるわけではない。〈もし〉はハードSFに好まれ「もし…という技術的ブレイクスルーがあれば…という世界が誕生しているだろう」と仮定し、SFの世界が現在の世界と地続きであることを示しうる。

フェミニストSF[*1]が描いてきた〈もし〉に「男がいない女だけの世界」がある。古くは、ジョアンナ・ラス「変革のとき」（一九七二年）、ジェイムズ・ティプトリー・ジュニア「ヒューストン、ヒューストン、聞こえるか？」（一九七六年）など。「もし病気や何かで男が生まれなくなったら」「もし女の卵子から受精卵が作れるようになったら」と現代社会でも想定できる〈もし〉をいくつか重ね、時間を百年、二百年と経過させてみる。するとそこには「女性だけの社会」が誕生する。

ティプトリー「ヒューストン、ヒューストン、聞こえるか？」は男三人が乗った宇宙船が太陽フレアを横切ったあとに三百年先の未来に到着する。宇宙空間で地球からの宇宙船とドッキングし、自分たちが出発したあとの地球に何が起こったのか徐々に明らかになる。地球に疫病が発生し人口は激減。男性は消滅。生き残った女性たちは限られた遺伝子プールからクローン技術を使い、再生産できるようになっていた。彼女たちにとって男はいらないものでしかなかった。男が死に絶えた世界だと知った男性クルーのうち二人は、女性だけの共同体に空いた穴＝男性の欠如を自分たちが満たせると確信する。女性に欠けているものを男性が埋め合わせる欠如モデルは身体的のみならず象徴的な意味ももつ。もちろん、このクルーの発想は完全な誤解に基づいていて、物語は昔の男たち三人が殺されることを示唆されて終わる。男性の不在は社会にとって欠如でもなんでもないのだ。

男性が女性を抑圧する社会をなんとかしようと考えたとき、社会構築主義的な発想にたてば社会の再設計が手段となる。男性∨女性という抑圧構造はあくまで社会構造の結果であり、社会構造が設計できるのであれば男性＝女性という結果を生む社会も作れるからだ。

フェミニズムは、女性を抑圧する社会的圧力にジェンダー（社会的性差）と名づけ、生物学的身体とジェンダーの間に本質的な結びつきはないとした。少なくとも運動としてのフェミニズムが勃興した当初は。「女性はこうしなければならない」「女性はこうしてはならない」という社会的性差の圧力の根拠となる「女性は」というカテゴリーの構築性を問い直すことで、圧力を無効化しようと試みた。

しかし、抑圧構造があまりにも社会に深く根づいている場合、社会の再設計をするよりも、男性／女性だけの社会を別に用意するほうが話は早い。「根づいている」というのは構築主義的な発想だが、その程度があまりにも深いと本質主義へと接続される。頑張れば変えることができるとしても、その頑張りが実際には不可能である場合、それは変えられない。

このように構築主義と本質主義は、どちらか一方のみを選べばよいという二者択一（トレードオフ）ではない。

ティプトリーがラクーナ・シェルドン名義で発表した「ラセンウジバエ解決法」（一九七七年）で提示したのは、男性の性衝動と暴力性が本質的に結びついている可能性だ。フェミニズムが「女性は…」というカテゴライズの権力性を問題化したのであれば、「男性は…」とカテゴライズすることも同様に問題化されなければならない。(*2)

フェミニスト・ユートピアはまず〈男性(的なもの)〉の不在を欠如として捉えない女性だけの共同体〉と考えられる。しかし実際に作品を読んでいくと「女性だけの共同体」を舞台にした作品は思ったほど多くない。ティプトリー「ヒューストン」にしても、女性だけの共同体に男性が時を超えてやってきたがゆえに衝突＝物語が始まるのだ。そこで〈男性(的なもの)〉の不在を欠如とはしない主に女性たちが運営する共同体〉とゆるく定義したい。共同体には女性はもちろん、男性も、その他の性も構成要員となる。

フェミニスト・ユートピアの発想は本質主義的だ。ユートピアを構成する女性は自明なものとして前提されている。生物学的に規定される場合もあれば〈抑圧されているもの〉と抽象的に規定される場合もある。いずれにせよ本質的に決めてしまわなければ、ユートピアは単なる現在の共同体に堕する。女性というカテゴリーの本質を〈抑圧されているもの〉と抽象化するのはラディカル・フェミニストがとる戦略だ。男女のあいだの抑圧―被抑圧の個々の事象を問題化するだけではなく、抑圧―被抑圧という権力関係を軸に男女を(再)定義する。抑圧の消滅は、男・女というカテゴリーの消滅につながる。だからラディカル・フェミニスト・ユートピアに男は存在しない。しかし(多様化したとはいえ)フェミニズムが求めるものはそのような世界なのだろうか。

構築主義的な問いかけは、どこかに本質主義を担保しなければ成立しない。このジレンマを解消するべき難題として取り扱うのではなく、ジレンマそのものをどう表現していくのか葛藤することがフェミニスト・ユートピアのミッションなのだ。

本質を構築する――松尾由美『バルーン・タウンの殺人』

最初に取り上げるのは松尾由美の特殊設定ミステリ『バルーン・タウンの殺人』(一九九四年)である。人工子宮(AU)が普及した近未来。ほとんどの女性が人工子宮で子供を作る(「産む」ではない)ことを当然と考える世界。そんななか、世間の当たり前に逆行して自分の子宮で妊娠・出産することを選んだ女性たちがいる。彼女たちに居住用として特別な区画が与えられた。それが東京都第七特別区、通称バルーン・タウンである。妊婦たちが出産までの期間を心穏やかに過ごすこの街は、あらゆる事件から無縁のように思える。しかしある日、殺人事件が起きるのだ。目撃者によれば犯人は妊婦。妊婦であることはわかるが「どのような妊婦」であるか個人の識別はできない。妊婦が珍しい社会なので目撃者はお腹に注目し顔を覚えていないのだ。捜査を任された女性刑事の江田と、ミステリ研の先輩で妊娠中のためバルーン・タウンにいる暮林が、即席バディとなり調査を開始する。

本作の特殊な設定にはSF要素がふんだんに用いられ、SFミステリと呼んで差し支えない。人工子宮技術は現在のテクノロジーでも実現されていないが〈もし人工子宮が普及したらこんな社会になっているだろう〉という外挿法が用いられている。あるテクノロジーが普及することで、人々の思考や認識まで変えてしまう。「妊婦であることは認識するが、どんな妊婦であるかは認識できない」という盲点も人工子宮技術が生み出したのだ。

バルーン・タウンに住む人は皆、妊婦だ。しかし妊婦以外の女性もバルーン・タウンを支えるために働き生活をしている。いずれにせよ、ほぼ女性だけの共同体がそこに出現している。

バルーン・タウンに住むことを選んだ女性たちは人工子宮ではなく自分の子宮で出産することを選んでいる。バルーン・タウンで過剰に妊婦たらんとする。技術的に妊婦が存在する必要がない社会とは、少なくとも出産において「女性だから…しなければならない」の女性に本質的な意味が付与されない社会だ。構築主義に大きく傾いた社会であえて妊婦になることを選択した彼女たちは、非本質化されたはずの女性の身体を再び本質化する。「妊婦然」とふるまう彼女たちは、世間から見ればこっけいであったり不要であったりする慣習を順守する。慣習のなかには起源を喪失し、意味を欠いた慣習としての慣習もあるわけだが、そのような慣習を身体化しながら彼女たちは「理想的な」妊婦になっていく。

バルーン・タウンには「よき器の像」と題された妊婦の彫像がある。この像は立派な器をもっている。ただし器は、像が直接にもっているわけではなく台の上に置いてある。妊婦が重たいものをもつのは良くないからだ。タウンでは妊婦コンテストなるものもあり、彼女たちは自らが「器」であることに意義を感じている。かつて某政治家が女性を産む機械になぞらえて批判されたが、本当の「産む機械」が人工子宮という形で存在したときに、女性たちは自らの身体をどうとらえ直すのか。この作品に登場するように、あえて妊娠・出産を選び「器」としてのアイデンティティを選び直す女性は出てくるだろうか。

彼女たちが身体的のみならず象徴的に妊婦になる過程は、テクノロジーによって「産む性」としての女性性から解放された女性の一部が、自らを「産む性」として再定義する過程と読める。「女性は産む性であるから…しなければならない」という生物学的な本質主義をテクノロジーで克服し、自らのアイデンティティと身体を自由に構築できるとき、旧来の「産む性」としての女性性を、ときには過剰なまでに召喚する。といっても妊婦になることを選んだ女性はごく一部で、世間からは「変わり者」と見られているのだが。

この作品はミステリであり謎と論理的な解決が提示される。探偵的な振る舞いをミステリにおける知性と定義すると、本作における知性は極めて身体的だ。先に紹介した「盲点」に加えて、妊婦という身体だから生じた密室や、出産時における「伝説の助産婦」の役割など、謎―論理的解決は妊婦と彼女たちの身体にまつわるものだ。さらには妊婦探偵・暮林に対峙する人工知能刑事・ドウエル教授が登場する。ドウエル教授は身体をもたない計算＝理性だけの存在とされ、妊婦探偵の身体性を際立たせる。

ではバルーン・タウンは、フェミニスト・ユートピアなのだろうか？

ティプトリーやラスが描いた分離主義的なラディカル・フェミニスト・ユートピアではない。共同体の目的は、妊婦たちが出産までの時間を落ち着いて過ごすため。バルーン・タウンの外で男女が激しく対立しているわけでもない。タウン内に男性は不在だがタウンにとって欠如ではない。タウン自体がその外にあるもう一つ大きな共同体の一部であり、大きな共同体を見れば男性は存在するし局所的な不在も欠如とはみなされない。ただし、役割・場面を限定することで一時的なユートピアが成立したとは言えそうだ。この一時的ユートピア内では、身体を軸にアイデンティティの本質化が試みられる。バルーン・タウンは通過点でしかない。出産後は誰もがタウンの外に出ていくが、その後の彼女たち（元妊婦にして、現母親たち）がどう行動するかは本作の照準から外れている。妊娠・出産を経てなんらかの本質を構築した彼女たちが出産をせずに母になった「普通の女性たち」と何か違うのか。違うとすればどう違うのだろうか。

〈第三の性〉の誕生――田中兆子『徴産制』と村田基『フェミニズムの帝国』

田中兆子『徴産制』（二〇一八年）は男性が妊娠・出産できるようになった社会の〈もし〉を描く。

タイトルにある「徴産制」は「徴兵制」を踏まえてのもの。つまり、国家による強制的な男性の妊娠・出産がテーマだ。

徴産制…「日本国籍を有する満十八歳以上、三十一歳に満たない男子すべてに、最大二十四ヶ月間「女」になる義務を課す制度。二〇九二年、国民投票により可決され、翌年より施行」（『徴産制』表紙より）

二十一世紀も終わりに近づく日本は、少子高齢化、過疎化、食糧難、さらには、スミダインフルエンザという女性のみがかかる新型感染症により、若い女性が男性に比べて極端に少ないという男女人口の不均衡に直面していた。国難的状況から脱出するために施行されたのが「徴産制」だ。内容は右に記したとおりだが、さらに補足すると、

・男性から女性への性転換、および性転換したあとの妊娠・出産が可能となる。
・また「産役」後は、そのまま女性として生きるもよし、再び手術を受け男性に戻ることもできる。
・性転換手術をしたからといって、男性は男性としての身体（体形や骨格）とジェンダーは

引き継がれる。ただし、女性として男性を愛することもできる。
・産役につくと国から給料が支払われる。妊娠・出産は義務ではないが、出産後は産役が解かれる。
・産役を逃れること、または産役逃れを助けること（幇助）は重罪であり、発覚した場合は懲役ではなく三年〜五年の産役を課せられる。

登場するのは五人の産役男。

東北の寒村で農業を営むショウマ。国会議員、その先には総理大臣を目指すエリート官僚のハルト。産役逃れでつかまったタケル。主夫として美容師の妻を支えているキミユキ。病気のために周囲のものを「たじろがせる容貌」をもっていたが性転換手術に合わせて整形も施し「美しい女性」として生まれ変わったイズミ。

徴産制という国家政策と、それによって露呈したジェンダーをめぐる問題を、五人それぞれが自分の立場で見つめていく。

疫病により男女の人口バランスが不均衡になった。そのため若い女性がそれまで以上に有徴化される（徴づけられる）ようになる。若い女性はそれだけで珍しく、女性であることにある種の負い目を感じてしまうものもいる。病気で死んでしまった他の若い女性たちの存在が、意識はしていなくても頭のどこかに埋め込まれている。サバイバーズ・ギルトだ。

そのような若い女性への社会的期待＝プレッシャーのなかで育つと、「女らしい格好をしたかった」という後悔やカッコ付きであるが「女らしいこと」の剝奪も起こる。そこに産役男がやってきて、妊娠・出産という女性のみが可能であったものですら男性が肩代わりする。産役男の存在は、テクノロジーによるジェンダー・ロールの再分配なのだ。ただ、この作品が繰り返し描き出すのは産役男たちの苦難である。

産役男にもエリートコースがある。パートナーとなる男性をとっとと見つけ契約（パ契）を結ぶこと。せっかく産役男になるのだから、自分は理想のパートナーと出会い「役」を少しでも「めでたいもの」にしたいと思うのは自然な感情である。だが、登場する産役男たちは苦労する。一つは、テクノロジーの限界。産役男たちは性転換をしているので性別は女性であるが、骨格は男。それまで身につけてきた立ち居振る舞い（男らしさ＝ジェンダー）も、ゼロにリセットされるわけでも女性に再設定されるわけでもなく、ただ引き継がれる。産教センターで、軍事教練よろしく産役男としてのイロハを叩き込まれるが、だからといって結婚の申し込みが殺到する女性にみんなが生まれ変われるわけでもない。

SF的にこの設定は非常に興味深い。確かに「完璧な美人」に生まれ変わったイズミ、ママ友との良好な関係を築いたキミユキといった産役男もいるが、産役男たちの大半は男性でも女性でもない〈第三の性〉として位置づけられる。〈男が一流〉であり〈女は二流〉、しかしその女も数が少ないので男から無理やり女に作り替えた産役男が生まれたわけだが、この作られた女は〈二流の女〉の代替でしかない。第一でも第二でもない〈第三の性〉。

産役男は果たして男なのか、女なのか。絶えず問われる。あるときは男たらんとし、あるときは女たらんとする。あるときは、男であることを降りたといい、あるときは女になれてよかったという。男／女の間をさまよい自身のジェンダーをパフォーマティヴに問う。問いかけは言語的なものだけではない。男として成長した身体に、妊娠・出産という女性の身体的役割を重ねることで身体的にも問い続ける。

先に徴産制はテクノロジーによるジェンダー・ロールの再分配だと述べた。では「誰が」「どのように」再分配するのか。ともすれば後景に退いてしまうジェンダーの配置主体を、この作品は「徴産制」という言葉で国家だと前景に引きずりだす。私的領域に張り巡らされた権力性を告発するスローガンに「私的なものは公的なもの」を掲げたフェミニズムに連なる。

しかし事態はややこしい。国家は一義的に「あれはあれ、これはこれ」とすべてを差配できるわけではない。そもそも国家は国民のたとえ一部だろうが反映であり、国家も抽象的な状態でイデオロギーを行使できるわけではない。つねに何かを媒介して権力は行使される。徴産制は男に身体を供出させ女に変える。産役男には自由恋愛が認められるし、産役後は女性でい続けることも選べる。産役男の自由は尊重しつつ、この自由がカッコ付きのものであることが明らかになるのは、産役逃れで捕まったタケルの物語だ。

タケルはひょんなことから知り合った男の産役逃れに加担する。「幇助」として逮捕され産役刑に処される。通常の産役男たちとは異なるルートで訓練され、産役を終える条件も厳しくなる。タケルは放射性廃棄物の処理場を抱えるQ村へ配属される。村や役所の人間からの扱いに違和感を覚えていると、親しくなった産役男の罠にはまり捕まってしまう。「こまち食堂」というその店は、核の廃棄場で働く男たちのための売春施設であった。GPS機能付きの首輪をはめられ監禁、強制的に「売春」をさせられるタケル。地獄のような空間が出現する。

搾取するものと搾取されるものという一方的な関係があるようにも思えるが、構造は入り組んでいる。そもそもQ村自体が、国家的プロジェクト＝核産業の末端に位置している。金銭的な補償はあるかもしれないが、村という空間を提供する以外に何もできないから処理場が誘致された。そこで働く男たちは、(女性が少なくなった世界にもあるとして)「普通の」売春施設を利用することもできるかもしれないが、金銭的あるいは地理的な制約から産役男の売春施設を使う。核廃棄物を扱う仕事のため社会的なスティグマを受けている可能性がある。

「この世に男がいる限り、こういう場所はなくならねえんだ。特にこの村には、誰もやりたがらない、事故が起きれば死ぬかもしれないキツい仕事を、体張ってやってる男がいるんだ。そういう男が、たまに休息を取りたいのは当然だし、そこには女がいて欲しいものなんだよ。こういう場所が必要なのは誰だってわかる」（一四五）（傍点筆者）

というのが、タケルとほんの少しだが親しくなった男性客の言い分だ。タケルは、徴産制の隠れた目的に女が減った世界で男が男を「癒す」ことがあるのではと気が付く。「徴産制の目的は子づくりだが、出産そのものは義務ではない」（一四六）といういささかトリッキーな文言がある。これは徴兵制の目的が「国民を兵士にすること」であり、人を殺すことが目的でないことと似ていると指摘される。

「こまち食堂」という名の強制的管理売春宿で働かされ身体搾取される産役男たちも、「産役逃れ」で他の産役男たちよりも社会的に「低い」扱いを受けている産役男から選ばれる。奴隷のように監禁されている産役男たちは、山奥のために物理的に逃げ出せないし、なんとかを逃げ出しQ村へ戻ったところで先が明るいわけではない。Q村は非合法売春宿を黙認しているからだ。虐げられた者たちは連帯もできず、強いものから振られた暴力をさらに弱いものにぶつける。管理者たる大男はタケルを殴り、タケルは自分を罠にかけたコウサクを殴る。

しかし、このコウサクが逃げ道を作ってくれるのだ。コウサクは外部の活動家と連携し彼らが攻撃を仕掛ける複数の施設の一つに「こまち食堂」を入れた。大混乱のなか捕まっていた産役男たちは次々に逃げ出す。そんななかタケルは老婆を助ける。自分たちを管理・抑圧してきた宿側の女である。頭の中に「最も弱きものを生きのびさせよ」（一五一）という言葉が木魂する。

「すべてのものが生きのびられないならば、最も弱きものを生きのびさせよ。最も弱きものが生きのびること、それが希望というものなのだ」（一二〇）とはタケルの母親が繰り返し読んでくれた絵本の中の言葉だ。虐げられたものとしてさらに弱いものを虐げるのではなく、もっとも虐げられたもの（弱いもの）を助ける。老婆は、自分の体験を語りだす。彼女もまた、かつてはこの宿で強制的に売春をさせられていた。語り部としてあったことを話したいと彼女はいう。それは告発ではなく、加害者でも被害者でもなく、ただの人間として話したいという。タケルは彼女に「最も強きもの」の姿を見る。

『徴産制』の五つの物語は、産役男たちの多様さを浮き彫りにする。これは、当たり前のように思える。固有名詞の数だけ人生があり歴史がある。しかし、私たちはカテゴリー、とくにジェンダーを使うとその人の固有名をすぐにカテゴリーに埋没させる。『徴産制』は産役男たちを描きながらも、そこには男／女と類比的な産役男というジェンダー・カテゴリーがない。産役男たちを描けば描くほど、産役男というジェンダーがないこと、第三のジェンダーとして立ち上げることが難しいことが強調されていく。この困難は物語のなかで新しい可能性とともに語られる。

ハルト（第二章）やマルオ（第五章）が、それぞれの計画で産役男たちの居場所を作ろうとする。

第五章で描かれるスミダ・リバーランドと呼ばれる空間は、人口的にマイノリティである女性が女性として尊重される場でありながら、産役男たちの場でもあることを目指す。イズミは「男のためのテーマパーク」を作りたいといい、マルオは「産役男と若い女のためのテーマパーク」を作りたいという。二人の主張はぶつかり合う。同世代の女性を失った男性たちも、自分たちのジェンダー・ロールをどこにどうやって見つければよいのかわからず、そうこうしているうちに自分たちとは離れたところで徴産制の導入が決定され、産役男になることを強いられる。旧来のカテゴリーであることは重々承知だが、その旧来の男性性を身につけぬまま、出産・育児の女性性を身体的・精神的に身につけなければならない。女性たちは女性たちで「女性であること」への過度なプレッシャーと、それと表裏一体となった「女性であることを」を抑圧せざるを得ない状況の板挟みとなっていることは、先に述べた通りだ。この男／女であることの困難を、産役男の存在が攪乱していく。

ル・グィン『闇の左手』には、男でも女でもないゲセン人が登場した。ゲセン人はケメル期に入ると男または女に変化する。惑星ゲセンには恒常的な性別はなく誰もが妊娠・出産することを前提に社会が構築・設計されている。『徴産制』は男が女になれる社会を描く。しかし「男を完全にやめて女になる」という変身、男性の女性への吸収よりも、産役男という〈第三のジェンダー〉を作ることに焦点を当てる。

果たしてこの社会はフェミニスト・ユートピアであるのか。男性ではなく女性の不在が欠如として認識され、解決するため男性を国家主導で性転換させる。フェミニスト・ユートピアとは一八〇度反対のベクトルだ。ティプトリー「ヒューストン」は男が死滅したあとに到来した女性だけのコミュニティの話だ。『徴産制』は男ではなく女が、スミダインフルエンザにより人数を減らす。さらに男も性転換により出産できることで、女を必要としない世界が誕生した。理論的に女を必要としないはずの社会は、単純になるどころかさらに複雑になっている。支配／従属の関係が至る所に生じ、それは新しい搾取を生みながらも従来の権力にヒビを入れていく。

女性だけのコミュニティにおいて権力関係は存在しえないのかという疑問を解消するには「ヒューストン」では長さがたりない。権力は身体ではなく関係性に生じ、身体を通じて行使されるのであれば、女性だけのコミュニティもユートピアになりえない。フェミニスト・ユートピアとは真逆の方向を向く『徴産制』は、フェミニスト・ユートピアが内在するユートピアの不可能性を克服するために〈第三のジェンダー〉産役男を作り出す。

ただし、国家権力とテクノロジーの融合が産役男の「両親」であることは留意すべきだ。ここでまた近代が分裂する。テクノロジーは徹頭徹尾、国家や組織のものであり個人のものではありえない。『フランケンシュタイン』以降、ジャンルのお約束的に愛されたマッドなサイエンティストたちは、啓蒙主義とロマン主義の落とし子であり、いまや天然記念物なみに希少な存在だ。国家規模のスポンサーがつかなければならないことと、個人の幸福を促進すること。テクノロジーは、つねにそうであるようにここでもまた両義的だ。

男性優位社会を転倒させた女性優位社会を描き、男性性の問題を「産めない性」に求めたのが村田基『フェミニズムの帝国』(一九八八年)だ。

男性優位社会が終わって二百年。世界は女性優位の社会になっていた。一九八〇～九〇年代の男尊女卑の様子で男女入れ替えたものが社会のいたるところにみられる。「男は二十四歳までに結婚して家庭に入る」「家事・育児に専念する」「結婚できない男はアブレ者」など。男らしい/女らしいというジェンダーはあるが、内容は作品発表当時のジェンダー規範と正反対。主人公は「男らしさ」に違和感を覚える男。あるとき、「女らしい」男から男性解放運動のパンフレットを渡され興味を抱く。

二百年かけてどのように女性優位の社会が作られたのか。社会の実権を握っているのが女性であり、自分たちの有利に過去を改竄している可能性があるため正確なところはわからないが、とある男性研究者から語られるのはエイズワクチンの欠陥だった。二〇世紀末にエイズが猛威を振るうなか、人類はワクチンの開発に成功。瞬く間に普及する。しかし、このワクチンには深刻な欠陥があった。それは性行為の回数を重ねることで男性のみが変性エイズウィルスに感染しやすくなるのだ。その結果、男性は性行為はおろか体液の接触につながりうる行為を極端に避けるようになる。一方、女性は社会的に存在感をますます増していく。こうして男性優位の価値観が崩れ女性優位へと逆転するにつれ、そもそも発端であるエイズワクチンの欠陥については忘却され、男が変性エイズウィルスによって死んでも「男の花道」とよばれ妻への愛に生きた「英雄」として神社にまつられる始末だ。もっとも、死後の神格化は女性よりも男性主導で始まったようなのだが。

男性解放運動家たちは、自分たちを抑圧するジェンダーだけではなく、停滞しているように見える社会まで女性のせいにし、近代的＝理性的な男性社会を取り戻そうとする。

しかし、男性社会は本当に幸せだったのであろうか。彼らが求める進歩と革新は結局のところ人殺しと破壊のテクノロジーの進歩と革新でしかなく、競い合うことしかできない男たちは政治の世界で独裁と戦争をしてきたのではなかったか。

物語は終盤、男性vs女性の全面戦闘に突入する。主人公は、第三の道を見つけたのだという女性パートナーから「生きた英雄」計画を打ち明けられる。男性に身体改造を施し奪う性から産む性へと生物学的に変化させるのだ。パートナーは主人公とのあいだにできた男の子を身ごもっており、手術を受けた主人公は自らの内に男の子を移す＝宿す。産む性になれないがために抱えていた欠如を、暴力と競争で埋め合わそうとする従来の男性性とは異なる「本来の男らしさ」が、自身の内から湧き上がってくるのを感じたのもつかの間、戦車を鹵獲し攻撃を仕掛けてきた男たちに命の危機を覚える。「暗黒の近代」の復活が予感され物語は終わる。

女性優位社会でもなく、男性優位社会の復権でもない。第三の道として提示されたのが、男性の身体的改造、テクノロジーによるポスト（ヒュー）マン誕生であることは興味深い。また、手術を受けるまえには手術に対して懐疑的であった主人公も、いざ手術が終わってみると体内の我が子を気遣う。そして男は命そのものから疎外されていると体感する。

いさぎ［主人公の名前］は男の本質がまたわかった気がした。男はなぜ弱いものをいたわることができないのか。なぜすべてのものを競争の対象としてしまうのか。男にとって、自分以外の命はすべて外なるものなのだ。（三五〇―三五一）

産むことができなければ内に生じる空虚を埋めるために人から奪うしかない。奪えなければ、壊すしかない。

『フェミニズムの帝国』はジェンダーの社会構築性・恣意性・偶発性を露呈させる。私たちの考える男らしさ／女らしさは、社会・時代の産物でしかない。二百年経ったら、まったく逆になっているかもしれないではないかと。ところが、まったく別のジェンダー・ロールにしても、男女の身体が本質的に関わってくる。ジェンダーの社会構築性と同時に、身体の本質性も繰り返し強調される。男性／女性の、合理性と共感性、進歩と停滞、戦争と平和といったように。男女間の争いに対して物語が提示した解決策は『徴産制』と似ていて、男性の身体変容であり〈第三の性〉を作ることだった。「ほ

んとうの男らしさ」とも形容される〈第三の性〉は産役男と接続されうる。(*3)

強い女の子――小野美由紀『ピュア』

村田基は「産めない性」である男性の本質に非寛容性を見いだしたが、では「産む性」たる女性は寛容なのか。彼女たちも埋めがたい空虚を抱えているとするのが小野美由紀「ピュア」だ。表題作を含む『ピュア』（二〇二〇年）は身体変容をテーマにした短編集だ。表題作「ピュア」と「エイジ」は同じ世界を舞台にしている。

人間によって荒廃した地球。出生率どころか人口は激減。大気汚染、疫病、戦争により、地球は子育てをできる環境ではなくなった。人類は種の存続をかけ自分たちの遺伝子を改良する。結果、出来上がったのは身長二メートル、全身が鱗で覆われ、牙と爪をもつ女性たちである。(*4)

通常、彼女たちは人工衛星で生活し月に一度、地表に降り立っては男を「食う」。文字通り食べる。ただ食べるのではなく、男を捕まえ、セックスをし、殺して、食べる。遺伝子改良の過程で、男を食わなければ受精しない体になっていた。人口比は九：一。男が九で女が一だ。この世界では女が圧倒的に強い。生物的に、身体的に、そして政治的に。女たちが社会の支配者であり、戦争を遂行し、次世代を生み・育てていく。男は繁殖のためのトリガーであり、受精を促す栄養素でしかない。

視点人物のユミは、遺伝的欠陥のために捨てられた二人の子供を育てる男エイジと狩りの途中に出会う。普通の男とはどこか違うエイジに惹かれたユミは、彼を殺す＝食べることはしない。しかし殺す＝食べることと同義であるセックスの衝動が体の奥で生じているのを無視できないでいる。大事にしたい気持ちと食べてしまいたい衝動の間に挟まれ、ユミは彼女のなりの愛をエイジに抱く。「二人はこうして結ばれました。めでたしめでたし」とは、もちろんならない。ユミと同じく地表に降り立っていたクラスメイトにエイジの存在が気づかれ、ユミより先にエイジは捕食されてしまうのだ。


「あんただって――」私を羽交い締めにしながら彼女が叫んだ。

「あんただって、ほんとは食べたいくせに！」

「食べたいよ！」私は叫んだ。

「けどそれ以上に、手に入れたいものがあるんだよ！」（五〇）

ユミは友達を薙ぎ払い殺す。死にかけたエイジはユミに自分を食べるよう、そして彼が隠し育ててきた二人の子供の面倒を見るように頼む。ユミは泣きながらエイジとセックスし、そして食べる。印象的なやりとりがある。ユミの憧れの対象である友達ヒトミが男への恋心を打ち明けたユミに向かってこう話す。

「人間の身体って一本の空洞なわけ。食べ物を入れる所があってさ、出す所があるわけでしょ。それでさ、子宮と膣も〝内臓〟っていうくらいだから、身体の内側だと思ってたんだけどさ、あれって本当は、身体の中のどこともつながってない、外側に穿たれた、窪みみたいなもんなんだよね。［…］私たちが普段、ペニスを出し入れしてるのもさ、子供を宿して生み落とすのだってさ、実は全部、身体の外側で起きてる出来事なんだよね。コドモだってさ、私の体の外側の窪みに、ちょこっとだけ宿っててさ、そんでまた、外の世界にもどってく、ただ、それだけのことなんだよね。誰もさ、オトコだってコドモだって、私たちの身体の中に、入ることなんてできないんだよ」（四二）

『徴産制』と『フェミニズムの帝国』は男の身体を変容させ「本当の男らしさ」をテクノロジカルに構築しようとした。しかし「ピュア」が明らかにするのは、そもそも子宮に子供を宿すということも内側ではなく外側での出来事、疎外の一形態でしかないことだ。彼女たちもまた疎外されている。それはエイジを襲いユミが殺した女友達（マミ）が、女としての自分の本能に従うことの喜びと一体化した苦しさを吐露し、ユミの「ロマンス」を「ずるい」「むかつく」と非難している姿と重なる。

『ピュア』に収録されている他の作品を見てみよう。「バースデー」は全身の染色体を書き換える技術が生まれ、町で一番に性変容手術を受けた親友をもつ女子高校生が主人公。彼女の友達は夏休みを経て女から男へと変わっていた。夏休み明けに「大人っぽくなる」というのはよくある話だが、ここでは性別が完全に変わってしまう。繭の中で一カ月間かけて細胞レベルで作り替えるので、「身体的な違和」は本人も周囲も感じない。身体に違和を感じなくとも、どう受け止めていいか・どう接していいかには、当然、悩む。「To the Moon」にも十七歳前後で人ならざるものへと遺伝子が変異する「月人」が登場する。

このように小野美由紀の『ピュア』には物語においてはすべて女性の身体であるが、所与のものとされる身体が何らかの変容をする。あるいはすでに変容したものとして登場する。この変容は私たち人間に起こる変化の比喩として読める。そしてもちろんそれだけではない。変容を文字通り読むことで、私たちが自然だと思い込んでいるものの不自然さを可視化する。とくに「ピュア」は「男が女を食う」という表現を、未来世界において「女が男を食う」に反転させ、前者があくまで比喩であったものを、後者は文字通りとるように読者に迫る。彼女たちの捕食＝セックスのシーンは、比喩としての「食う」を受け入れさせない生々しさをもつ。

男性＞女性の抑圧構造の原因すべてを、身体的な男性性・女性性に帰することはできない。しかし、男性の生物学的な身体、女性の生物学的な身体が、社会的な男性性・女性性の根拠として持ち出されることはある。カッコ付きの「自然」を無意識化するのが共同体の慣習なのだ。『フェミニズムの帝国』では、二百年続く女性優位社会において「男が女に勝てるわけはない」と社会習慣が自然だと誤認されている。「自然」なものを自然だと思うこと。それが本来、何であるのかいちいち突っかかっていたら手間隙・コストがかかってしょうがない。

進化生物学によれば、精子と卵子の違いはその製造コストにある。卵子はコストが高く、精子はコストが低い。少ししか作れないので大事にするか、たくさん作れるのでとにかくあらゆるところにばら撒くのか。製造コストの違いによって自分の遺伝情報をどう増やしていくのか異なる戦略をとる。ただし、この科学的事実をもってして「だから」男はたくさん交わり、女は貞淑になるべしというカッコ付きの「道徳」がスムーズに導かれるわけではない。生物学的運命論は道徳的な振る舞いを規定しない。私たちの行動は、基本的に二層構造になっていて、生物的な物質の水準と、抽象的な精神の水準の二つの行動プロトコルによって統御される。どちらが有利不利、どちらが優れている・劣っているというヒエラルキーで考えるより、二重の存在、重ね合わせとして捉えるのが良い。あるときは生物的なものが、また別のときには精神的なものが行動を規定する。昨今の行動経済学やら進化心理学・進化生物学やらの隆盛の背景にあるのは、この視線だ。「人間には特定の状況下でやってしまう行動があるようだ。だからといってそれが人間のすべてではない。ただ、そうであるということを理解しておくのは損ではない」

人間が、そして男／女という区分が、本質主義的であると同時に構築主義的でもあるというのは、一方が他方を支配するという制御モデルでは考えず、人間を身体／精神の重ね合わせとしてみることだ。ここまで見てきたフェミニスト・ユートピア小説が投げかけた問いのいくつかはこのようなものだ。「生物的な条件づけから解放されたら、今までとは異なる社会が作れるのではないか」「男性／女性は本質的に特定の性向をもっているのではないか」「理想の社会を構築するためには、身体への本質的な改変は必要なのではないか」

身体という旧式ハードウェアに、新しい社会というソフトウェアがインストールできないのならば、ハードウェアそのものを何とかする必要がある。それが〈第三の性〉だ。男性身体をアップデートしたのが『徴産制』であるなら、女性身体をアップデートしたのが「ピュア」だ。身体のアップデートの先にあのような生／性を生きざるを得ないというのは過酷な現実ではあるが、環境に最適な種という観点からは肯定されうる。エイジが、古い身体に古いソフトウェア（文学作品を書庫にアーカイブし、暇さえあれば本を読む変わり者として周囲からは見られている）を搭載しているのに対して、ユミたち女は「最適な者」（the fittest）である。エイジの文学好きは、同じ男で同性愛指向の仲間から教えられた。ここに、旧来の人間／人文的なもの（ヒューマン／ヒューマニティーズ）の残滓を見出すことは容易だ。言葉（ロゴス／理性）と衝動（食欲／性的）の対比をエイジとユミに当てはめることもできるだろう。果たして、エイジが食べられてしまったことは人間の敗北なのか。ユミたちの会話はあまりに女子高生的であり、とてもかわいい。繰り返すが彼女たちは極めて獰猛で危険である。外見的にも、そして振る舞いからも、今の人間（女性）とは似ても似つかない。断絶している。しかし、マミは次のように言う。「コドモ作るのも忘れたバカな先祖のせいでさ、私たちは今、こんな目にあってるわけ、いつ死ぬかも分からないような、やりたくもないことしなきゃいけないような目にあってるわけ」（四八）彼女たちは好き放題やった先祖たちの「しりぬぐい」をしているだけなのだ。「終わることなき螺旋」とユミが言語化する三千年の人類の歴史の先端に彼女たちはいる。

この奇妙な断絶と連続がポスト／ヒューマンの間に挟み込まれる「スラッシュ」となっている。

認識論的ユートピア――松田青子『持続可能な魂の利用』

衝撃的な世界がここにある。あるとき、「おじさん」たちに少女が見えなくなるのだ。少女から「おじさん」は見えるというのに！　この非対称性に「おじさん」たちは戸惑い怒る。それ以上に少女たちは喜ぶ。彼女たちに向けられていた精神的・物理的な「おじさん」のくびきから解き放たれ、喜ぶ以外に何ができるだろう。やがて少女の中に「おじさん」に復讐するものが現れ、今後「少女と「おじさん」の生活圏は重ならないものとする」という制度ができあがる。物語は「おじさん」が消滅した未来世界に生きる少女たちの視点を時折はさみつつ、主には現代社会を舞台とする。読者は、どのように「この世界」が「あの世界」へとつながるのか、考え想像しながらページをめくっていく。

中心となる視点人物は敬子。派遣社員の彼女は、派遣先の会社で正規雇用の男からセクハラを受ける。人事に相談をしたところ事態は表面化するが、「恋愛関係のもつれ」とゆがめて解釈され彼女が会社を去ることに。一ヵ月間カナダで休養し日本に帰国した彼女は、日本とカナダでの女性の違い、「おじさん」が支配する日本での女性の扱いに、否が応でも気づかざるを得ない。元同僚の歩と再会した敬子が一緒に街を歩いていると、ある女性アイドルグループのリーダー××の姿が目に入る。未熟な少女性をセールス・ポイントにしたアイドルビジネスの先頭に位置しながら、自分に課せられた役割をことごとく脱臼しつづける彼女の姿勢に、少女たちの反抗と隷属の両義的な姿勢を敏感にも感じ取るのであった。物語は敬子を軸に、複数の女性の視点から、遍在している「おじさん」のまなざし、物理的・精神的に少女を欲望するそのまなざしが描かれていく。

ではいつ「おじさん」たちは消滅するのだろうか。アイドルの××が、政権リーダーになってからだ。アイドルグループは「未熟さ」を魅力に十分なトレーニングを受けることなくデビュー。ファンにその「未熟さ」を愛されることでビジネスとして成長する。もちろん少女たちはやがて「成熟」するので、グループの新陳代謝を促すために卒業／研究生のシステムを導入する。…というどこかで聞いたことのあるアイドルビジネスのなかで、××と所属グループは「異端」として位置づけられた。もっともこの「異端」はそれ自体がアイドルの個性として認識されるためビジネス上の「異端」でもある。業界が均一になりすぎることを防ぐ進化論的な発想でプロデューサーによって作られた。だが××は、期待される役割を演じながらつねにそこから逸脱し続けた。期待されている／期待されていない役割

の境界線上を、どちらかに落ちないようにギリギリ歩き続ける。その鋭さに敬子の心はつかまれた。(*5)
真綿で首を絞めるように、じわじわと女性を抑圧してくる「おじさん」国家に少子化問題は解決できず、「産まないこと」を奨励しているのではないかとさえ思える。やがて国家中枢は、最後の政権として××を指名することを考え付く。「アイドルに国を担わせて失敗するのを笑って観賞する。それが、この国の男たちが最後に考えた娯楽であり、癒しだった」(二二八)
政権を取った××たちは、失敗するどころか新しい国を作る。「おじさん」が望むような結果にはならない。「××たちと「ファン」たちは協力し合い、社会を調整して」いき(二三七)「そして長いときが経ち、日本はきれいに畳まれました」(二三八)

わたしたちが体を失って、もうずいぶん経ちます。どれくらいかは覚えていない。体を失ってわたしたちが発見したのは、自分の体が自分のものでしかないとき、体自体が必要じゃなくなることです。

現在のわたしたちの体は、見られない、利用されない、搾取されない、監視されない体です。既存のいかなる文化体系にも属さない体。

体がなくなって、ようやくわたしたちはそれを手に入れることができました。(二三八―二三九)

　こうして他人の物である自分の体を失った彼女たちは、「いかなる文化体系にも属さない体」を得た。物語は、敬子や敬子の周囲の女性たち、それと××との関係を描く「現代パート」と、そこに挟まれる「未来の彼女たち」による過去の研究の様子を描く「未来パート」が交互に進む。未来の彼女たちは「おじさん」が消滅した世界で、過去に倣って「えらいね」と互いにほめあうのだが、彼女たちは（過去と同じ）身体はもっていない。

　では、繰り返し記述される「おじさん」とは誰なのか。「おじさん」は最初から最後までカッコ付きで表現されている。そして「おじさん」に本質はない。たとえば男性・四十歳以上・体脂肪率二五％以上…といった「おじさん」の本質はない。「おじさん」はこう定義される。

一つ、「おじさん」に見た目は関係ない。だが、見た目で判別がつくことは確かに多い。とくに、目つき。特に、口元。座り方もだらしない。

一つ、「おじさん」は話しはじめたらすぐにわかる。

一つ、どれだけ本人が「おじさん」であることを隠そうとしても無駄な努力である。どこかで必ず化けの皮が剝がれる。けれど、「おじさん」であることを隠そうとする「おじさん」は実はそんなにいない。「おじさん」はなぜか自分に自信を持っている。

一つ、「おじさん」に年齢は関係ない。いくら若くたって、もう内側に「おじさん」を搭載している場合もある。上の世代の「おじさん」が順当に死に絶えれば、「おじさん」が絶滅するというわけにはいかない。絶望的な事実。

一つ、「おじさん」の中には、女性もいる。この社会は、女性にも「おじさん」になるように推奨している。「おじさん」並の働きをする女性は、「おじさん」から褒め称えられ、評価される。(二〇〇一一〇二)

どうだろうこの「おじさん」の定義。年齢どころか性別すら関係なく、身振り・態度・考え方というパフォーマンスによって構築されるパフォーマティヴな存在である「おじさん」。女性すら「おじさん」になりうる。人は「おじさん」に生まれない、「おじさん」になるのである。この「おじさん」は極めて具体的でありながら、極めて抽象的＝制度的なものでもある。この「おじさん」像が素敵＝無敵すぎる。

少女は「おじさん」からは不可視となり、やがて社会から「おじさん」が駆逐される。その「おじさん」は本質的には定義されず、振る舞いを通じ構築されたものとして表出する。だれもがユートピアに行けるのではないかという疑問もなくはない。女性が「おじさん」になりうるならば、逆に男が「おじさん」にならないことも十分にあり得るのではないか。この疑問には理論的にイエスとなるだろう。問題は、理論的にあり得るからといって現実的に起こるかということだ。

敬子が受けたハラスメントは二種類ある。直接のセクハラと、セクハラを「恋愛のもつれ」へと回収してしまうセクハラを無効にするハラスメントの二つだ。ある事象があったとして、それを女性側と男性側で異なったものとして解釈する。「事象は同じだが意味が異なる」というときの「意味」は抽象的なものなのだろうか、それとも実体をもったものだろうか。従来であれば意味は抽象的なものであり「気のせい」「勘違い」として退けられてしまう（といっても、男による別の意味を付与するだけなのだが）。本書において、意味の違いは実体の違いとして、「おじさん」から少女が不可視になることとして表現される。本当に「おじさん」に少女は見えない。そこには意味を超えた実体的な変化がある。

急いで付け加えなければならないのは、「おじさん」の消滅と対になるように、彼女たちが「体」を失ったことだ。支配されていた体を失い、どの文化体系にも属していない体を得たとあるが「今のわたしたちには、ピルもナプキンも針もシルバーの冷たい光ももう存在しない。必要ない」（二二九）という彼女たちの新しい身体は、果たして「身体」なのだろうか。認識論的な「おじさん」と彼女たちの有徴化された身体は「対消滅」したのではないか。徴づけるもの、徴づけようとしてくる視線が消滅すれば、徴づけられるものも併せて消滅する。敬子と××たちが作った未来社会は、確かにフェミニスト・ユートピアであろう。しかしそこには身体はない。これに可能性を見出すのか、あるいはそんなことは不可能だと結論するのか。私たちは言語的な存在であり、性的欲望も言語的であるならば、私たちの身体もまた言語的なものである。意味づけの暴力から断絶された身体をイメージすることの困難さは『持続可能な魂の利用』においても解消されていない。

意味を与える——新井素子『チグリスとユーフラテス』

当初連作短編として構想していた物語が、いつの間にか上下二段組五百ページの超長編へと結実したのが新井素子『チグリスとユーフラテス』（一九九九年）だ。十代で作家デビューし、以来、作品を書き続けてきた新井素子の集大成ともいえる本作には、滅びゆく植民惑星を背景に女性だけが登場する。回想シーンには老若男女出てくるが、生きている人間として現れるのは五人の女性のみだ。果たして、これをフェミニスト・ユートピアと呼べるであろうか。

舞台は人類の植民惑星ナイン。宇宙植民計画の九番目の惑星。地球の日本地方の人たちが主体となって入植した。三十七人のクルーが宇宙移民船に乗り組み、この三十五人のなかからカップルが生まれ（すでにカップルになっていたものも含む）子供ができた。もちろん三十五人の子供だけだと惑星開拓には足りない。そこで、宇宙船には人工子宮（とその技術者）、多様な遺伝子をもつ凍結受精卵が積み込まれた。片道三十年の旅路で、子供は次々に人工子宮から生まれ、惑星ナイン到着時に第一世代と呼ばれる者たちは三二〇人にもなった。これでもまだ惑星開拓には足りないので、産めよ増やせと自然妊娠と人工子宮によって、どんどんナインの人口は増えていく。

宇宙暦二〇〇年前後、惑星ナインは一二〇万人の人口に達する。(*6) その後、徐々に人口減が始まる。原因は特定されない。まず入植初期に使われた人工子宮が原因と疑われる。では人工子宮を使わずに自然妊娠ならば良いのかというと、自然妊娠で生まれた子供がカップルとなっても、必ずしも子供ができるわけでもない。受精卵やあるいはクルーが直接に受けた宇宙放射線の影響とも言われる。さらには人類が惑星ナインに「適応できなかった」という説まである。

とにかくナイン社会は少子高齢化する。宇宙暦二七五年、一斉検査により生殖能力のある男女を「有資格者」認定し、労働から解放された特権階級として優遇する法律を整備するものの根本的な解決にはならない。有資格者でパートナーを見つけ結婚しても妊娠・出産しないこともあれば、子供を産めても一人だけということもある。さらに有資格者の男女の比率も不均衡で、圧倒的に男が少ない。それからさらに二〇〇年後、「最後の子供」として生まれたルナが七四歳の老婆となったのが物語のスタート地点だ。

ルナは、治療技術がない難病のためコールド・スリープに入った人を一人ずつ起こしていく。最初はマリア、次はダイアナ、そしてトモミ。「最後の子供」として育てられたルナは大人として成熟する必要がなく、逆に言えば子供でい続けることを強要された人間だ。七四歳の高齢にふさわしくない服装や言動をし、コールド・スリープから目覚めたものを戸惑わせる。ルナの行動や口調は子供に設定されているので、読者はルナを七四歳の老婆であると忘れてしまいがちなのだが、ときおりはいる描写によって残酷な事実を思い出す。

最初に目覚めさせられたマリアは宇宙歴三〇〇年代に生き、ルナの母親と親しかった。しかし、子供に恵まれることはなかった。有資格者としての特権と義務、自分が子供を生めなかったという絶望、生きるための目標を失った失意。自暴自棄になり大けがを負い、子宮摘出手術を受けなければ死んでしまうと言われ、子宮を失うくらいならとコールド・スリープにつく。

宇宙歴一〇〇年時代のダイアナは、現在のナインが直面する惑星規模の不妊とは反対に急激な人口増加に苦しんでいた。当時の特権階級である惑星管理局に勤め、有限の食料を惑星ナインの民にどう配分するのかという「命の選別」をしなければならない立場だ。彼女が行なってきた結果が、幼女のような老婆＝ルナだと知ったとき、衝撃を受ける。人間を生き延びさせるために人間的であることをやめなければならなかった人たちが、当時の惑星管理局のスタッフである。

彼女はあるとき、産児制限を破ってまで子供を生み、しかし食料不足のため餓死させてしまった母親から責められる。「あんた達は、人間じゃないし、人間として、この世界で、生きてはいないと思うのよ。……あんた、判る？　愛するって、どういうことか」（一四三）この批判者は、惑星管理局が、たとえば家畜を育てるのをやめ飼料をすべて人間の食用に回せば、全員の命を救うこともできるが、「すべての文化を守り」「すべての文化の保存に力を入れ」（一四六）るという大義名分のために、それをやらないと非難する。惑星管理局の選別は、必要性に駆られたもののように見えるが、そこには恣意的な条件が隠されている。

トモミは本名・関口朋美。入植船に乗り込んだ三十七人の子孫にあたる、初期ナインの特権階級。彼女は画家として認められていたが、その評価には「特権」がついて回る。宇宙船のオリジナル・クルーと人工子宮生まれでは、同じ惑星ナインの住民でも「違うもの」と認識される。この特権は、住民たちの自発的なものだ。宇宙船クルーの特権階級化は日本地方出身者の「無宗教」とも関連していると繰り返し指摘される。人間は超越的なものを頼らなくて済むほど強いものではない。とくに地球から離れた星に植民するのであれば。かといって外国の神を輸入するわけにもいかず、入植の歴史が堆積していくなかでオリジナル・クルー、なかでもキャプテン・リュウイチとそのパートナーであるレイディ・アカリの神格化は進んでいく。

ルナが最後に目覚めさせたのはレイディ・アカリだ。天才的宇宙船パイロットの龍一を妻としてサポートし、三十年の長旅とその後の初期開拓時代を生きた彼女は、龍一の死後、人であることをやめ惑星ナインの女神として振る舞うように期待される。これは龍一のナンバーツーとして働いた明（アキラ）の提案だ。彼女は死ぬことも許されず、病にかかっているわけではないがコールド・スリープにつく。灯（アカリ）は、最初は「龍一の妻」とだけ皆から見られていたが、彼女が彼女にしかできないやり方で宇宙船クルーの心を掴み問題を解決していく。最後の子供ルナは究極の疑問、「ママは

――イヴ・ママは、何で、なんだって、ルナちゃんを産んだんだろう?」をアカリに問う。

ルナは、マリア、ダイアナ、トモミ、アカリと順番に起こしていくが同時に起こすことはしない。ルナとマリマ、ルナとダイアナ、ルナとトモミ、ルナとアカリの最大二人が惑星ナインの人口だ。コールド・スリープにはまだ多くの人が入っているのだが、ルナはその人たちをすべて起こして一時的な人口増を考えるわけでもない。彼女は、最後の子供であることをやめたいのではなく、どうして自分が最後の子供になったのか理由を知りたいだけだ。自分をそのような「かわいそうな」最後の子供にした惑星ナインの特権階級たちを非難したいのだ。

コールド・スリープを利用できるのは当時の特権階級に属する者たちだけだ。特権階級は時代によって変わっていく。しかし変わっていくなかでも特権階級は「特権」であり、社会からの要求と表裏一体である何らかの恩恵にあずかっていることがルナによって次々に露呈する。

レイディ・アカリが「移民事業を決しておわらせない」という約束を果たすために思いついたのは、移民の定義を変えることだった。

彼女［ルナ］を惑星ナインの母にする。灯が、レイディ・アカリが、移民星・移民社会としてのナインの母だとすると、ルナこそを、惑星ナイン、この星全体の母とする。それがおそらくはたった一つの答。［…］まず、何とかして、ルナの子供を作らないといけない。実際にルナが産んだ子供である必要はない、〝母〟としてのルナを必要とする〝子供〟を。自分の経験からも断言できる、自分の腹をいためただの、同種の生き物であるだの何だのって要素がなくとも、愛する〝子供〟さえいれば、女は必ず〝母〟になれる。たとえ幼女であったとしても。たとえその子供が、〝抽象的なもの〟であったとしても。（三七五—三七六）

コペルニクス的転回である。灯は龍一との間に子供ができなかった。自分は母にはなれなかったが、宇宙船クルーの、そして惑星ナイン住民の、象徴的母＝女神となった。「子供が抽象的なものでも」というのは、そういうことだろう。母であること、さらには産むことを、是とし、是とし続けなければ存続できない社会において、彼女たちとその身体は意味づけられてきた。老女であるルナが意図的にあるいは無意識的に幼女としてふるまうことは、言葉の意味が変化した結果だ。「最後の子供」であれば大人になる必要はないし、大人になるチャンスもない。また大人がいないのであれば、老女／幼女という区別もじつは無効だ。アカリだけではなく、マリア、ダイアナ、トモミ、そしてルナ、皆が役割／意味を文化・社会によって与えられる。それはときには生きる指針でもあるが、ときには人を苦しめ窒息させ死に至らしめる。

灯は「妻」だった。スーパーヒーロー、龍一の妻。龍一は、龍一しかできない任務のために宇宙船に乗り組む。それに対して妻・灯は何ができるのだろう？　周りも本人も、灯の才能に出会った当初から気づいていた龍一以外は、最初はそう疑問／不安に思った。とんでもない世界を描くことすらできるSF小説のヒロインの役割が「妻」というのは、どうなのだろうという疑問でもあるかもしれない。しかし、これはある種の壮大な予兆なのだ。灯はレイディ・アカリとなり自らの身体に課せられた役割＝意味を、根本からひっくり返してしまう。妻だが母ではないアカリは惑星ナインの女神となり、最後の子供ルナを母にする。何を言っているのかわからないかもしれないが、そうとしか表現できない現象がここに生じている。身体だけがあるのではない。意味だけがあるのではない。身体と意味があり互いに影響を及ぼしあっている。ルナが地球産の生き物をナインで育て「母」となったところで、人類の入植は失敗した事実は変わらない。その事実をもって、アカリの考えを詭弁だと批判することはできよう。もちろんアカリ自身もそんなことはわかっている。だが、トモミが「自分のために絵を描くこと」というある種の芸術的な境地に至ったように、アカリは「自分のために言語を使うこと」をする。自分といってもこの場合は、アカリとルナの二人であるので厳密には自分一人のためではない。しかしコミュニケーションの道具という言語の本質を考えると、言語使用者が二人いることは重要であるし決定的である。二人使用者がいればそれは言語だ。

松田青子『持続可能な魂の利用』で抑圧する「おじさん」と「私たちの身体」が対消滅したのではないかと先に述べた。しかし、もう一つの可能性が見えてくる。彼女たちは自由に言葉を使えるようになったという可能性が。身体のみならず、身体と連動して意味＝言語もラディカルに変容する空間、変容させることが可能な空間、それこそがフェミニスト・ユートピアではないのか。

結語――フェミニスト・ユートピアに向けて

本章では、フェミニスト・ユートピアを次のように定義することから始めた。〈男性（的なもの）の不在を欠如とはしない主に女性たちが運営する共同体〉と。これはそもそも、ジョアンナ・ラスやジェイムズ・ティプトリー・ジュニアが描いた「男性不在は共同体における欠如である」という発想を欠如した共同体像に触発されている。欠如を欠如するとき、そもそも欠如は存在しない。必要／不必要という概念自体がなくなる。これは極めて画期的である。欲望自体が存在しなくなる。

松尾由美『バルーン・タウンの殺人』では人工子宮が普及した世界で「あえて」自然妊娠・出産を選んだ女性たちが、テクノロジーによって非本質化された身体を本質的なものとして再構築していた。バルーン・タウンはほぼ女性だけの共同体であるが、身体の再意味化は妊娠・出産を中心に行われている。

田中兆子『徴産制』は国家とテクノロジーにより〈第三の性〉産役男が誕生。疫病の蔓延により性別が不均衡となり女性だけではなく男性も既存のジェンダー概念に葛藤するなかで、産役男がさらに男／女の関係を攪乱していく。男性にとっては「自分もなり得る存在」として、女性としては「連帯しうる存在」として産役男は位置づけられる。ただ国家が主導するテクノロジーによる身体への介入という事実は動かしがたくある。『徴産制』では女性が少ないためフェミニスト・ユートピアは成立しないが、女性とそして産役男のためのテーマパークとして構想されたスミダ・リバーランドは、ジェンダー規範・役割の再考を促すある種のユートピア（アミューズメントパーク）となる。

村田基『フェミニズムの帝国』では（九〇年代的）男尊女卑を転倒させた女尊男卑の世界をカリカチュア的に描くが、二〇〇〇年かけてジェンダー規範が反転した理由を変性エイズウィルスと失敗したワクチンとした。ジェンダーの構築性を批判しつつ、同時に男性の本質として「産めない性」を定義。テクノロジーにより妊娠できる男性（「生きる英雄」living hero）というポスト・ヒューマンを創出するも、男女の武力衝突により未来の可能性はついえる。

他方、小野美由紀「ピュア」では身体改造の結果、男性を殺して食べることがセックスして妊娠する条件となった女性が出てくる。彼女たちは、男社会が徹底的に荒廃させた地球と人類文明を存続させるという究極のしりぬぐいをしなければならない。獰猛に男たちに襲い掛かり食い散らかすが、彼女たちもまた空虚さを抱えている。産む性と定義されてきた彼女たち女性も、たとえ子供を妊娠しようが子宮とは「体の外」にあるものであるため、空虚であることは変わらない。これは男性を産む性に作り替えることに人類の可能性をかけた『フェミニズムの帝国』とは一八〇度異なる視点だ。ただし一八〇度異なるが同じ水平軸である。妊娠・出産を通じて子供という他者を自身の体内（胎内）

に宿すことが、他者に対する寛容の源泉なのか。

松田青子『持続可能な魂の利用』が描く未来の世界は、「おじさん」が消滅している。この消滅は、しかし「彼女たちの身体」との対消滅であると示唆される。「おじさん」たちは極めて言語的で非本質化されている。権力構造によって規定される「おじさん」と私たちの関係を、身体を消滅させることなく再定義できるのであろうか。あるいは、未来の彼女たちが語る「身体」は、私たちの考えるものと同じであろうか。

権力を言語的に再定義するのは、新井素子『チグリスとユーフラテス』でレイディ・パラダイムシフトとアカリ本人が呼ぶコペルニクス的転回とつながる。地球からの惑星ナインへの植民事業の意味を「人間が定住し文明生活を維持すること」から「地球の生き物が惑星に定着すること」に替えた。惑星ナイン開拓の歴史四〇〇年で「特権階級」が指す人々が何度も変わったように、あるいは産むことの意義が時代によって大きく変化したように、植民という言葉もその例外ではない。

結局、フェミニスト・ユートピアはどこにあるのか。身体は本質的なものとして構築される。本質主義と構築主義のスペクトラムで権力は言語的に関係性を私たちに強いてくる。テクノロジーによって身体を改変／介入することで、ジェンダー役割を停止することはできるかもしれないが、それはあくまで一時的なもので、まるで砂地に水が染み出てくるように、権力は言語を伝い新しいジェンダーを規範化する。テクノロジーは個人の物ではありえないが、そうだとしてもテクノロジーは個人の身体によっては希望ともなりえる。残念なことに絶望ともなりえる。身体を改変しハッピーエンドとはならない。そのような物語は一つもなかった。むしろ身体改変の後にようやく物語が始まるといってもいい。新しい身体も言語とは無縁ではなく権力によってつねにすでに規定されていく。身体への配慮と同時に言語＝欲望への自覚が必要となる。だからフェミニスト・ユートピアがあるのかないのかという問いには「あるといえばある、ないといえばない」という両義的な答え、答えと呼べない答えしかない。答え以上に重要かつ本質的なのが、問いかけるという行為それ自体であるから。

【註】

（※1）フェミニズムSFという表記もなくはないと思うが、英語だと feminist science fiction と書くのが通例なので、本書でもそのように表記する。

（※2）「女性の理事がいると会議が長くなる」という発言に「男性の理事も会議を長くする」という反論は、ジェンダー論的に正しくはない。ただし「女性蔑視（と取れる？）発言」で辞任した会長の後任人事に「次は女性を選ぼう」という意見に対して、「男性でも女性でも関係なく、有能な人を選ぶべき」というのは、一見、中立的な意見に思えるが、そうではないことに注意。「誰かを選ぶ」という極めて権力的な行為を男性とそのイデオロギーが支配・独占していることが露呈したのが今回の問題であり、従来の決め方を踏襲したところで「有能な人＝前回と同じような人＝支配的イデオロギーの温存」となるのは火を見るよりも明らかである。

（※3）『徴産制』のように生殖／再生産に国家が積極的に介入する点で触れたいのが窪美澄『アカガミ』（二〇一六年）である。徴兵制といえば赤紙だが、本書の「アカガミ」は国営のお見合いサービスのこと。東京オリンピック後の二〇三〇年を舞台に、性的に不活性状態の若者同士をカップリング、妊娠、出産まで国策で導く。ディストピアっぽくないディストピアであり、物語の最後、主人公カップルは自分たちの子供が国家の選別を受けることにようやく気が付く。しかし、そんなことは考えるまでもなく当たり前で、国家はつねにすでに私たちの生命を選別している。結婚や出産という一見プライベートに見えるものも国家の介入なくしては成立しないというのは、生権力という言葉を持ち出すまでもなく私たちは知っているはずだ。そうと気が付かない状態がディストピアとも言えなくもないが、自分たちが国家による一種の「家畜」なのではないかと気づいたのが、身体を提供した主人公の女性ではなく、その夫＝男性であることに、この物語の限界がある。結局、この物語においては女性は身体的な存在で、対して男性は精神的＝理性的な存在だから女＝妻が気づかなかった「本質」を直感的に理解できるのだ。

（※4）この描写は、小川一水『天冥の標』の硬殻化した救世群＝フェロシアンを彷彿とさせる。

（※5）××という抽象的な書き方が一貫してされるのだが、秋元某の某坂であることは、容易に類推される。しかしこの文脈では固有名詞はほとんど重要ではない。

（※6）宇宙暦とは、宇宙移民が始まってから使われる年号。

第十章　継ぎ接ぎの化け物
——フランケンシュタインあるいは現代のポストヒューマン

現代SFの起源としての『フランケンシュタイン』

ＳＦの起源をどこに求めるか、論者それぞれである。というと身も蓋もないが、その論者がＳＦの本質を何に置くかによって当然「最初のＳＦ」は変わってくる。多くの論者がＳＦの始祖としてあげているメアリー・シェリー『フランケンシュタイン　あるいは現代のプロメテウス』（一八一八年）をここでもＳＦの起源として位置づけたい。

ポストヒューマンをキーコンセプトに据えて、小説／映画／マンガのＳＦ作品を古典から現代まで論じてきた本書の最終章では、ＳＦの起源として位置づけたフランケンシュタインと彼が生み出した「それ」（怪物）がどのようなものであるかをまず確認したい。そしてフランケンシュタインの創造力＝想像力が、以降のＳＦにどのような影響を与えたのか、伊藤計劃の作品を読むことで確認していく。伊藤計劃には死後、朋友・円城塔の手によって完成した『屍者の帝国』（二〇一二年）というフランケンシュタイン・テーマの小説がある。フランケンシュタイン博士が実現した死者を屍者としてよみがえらせる技術をめぐり、ジョン・ワトソンとバーナビーがバディを組み、アフガニスタン、日本、アメリカ、そしてイギリスはロンドンへ行く。未完のスケッチを遺した伊藤計劃を円城塔が蘇らせたのだと言いたくなるが、ここで論じたいのは伊藤計劃の二つの長編『虐殺器官』と『ハーモニー』だ。この二つの長編には『屍者の帝国』へと連なり得る、フランケンシュタイン博士の野望がすでに胚胎されている。キーワードは「継ぎ接ぎ」である。

さてメアリー・シェリー『フランケンシュタイン』とはどのような話か。

フランケンシュタインと聞いて思い浮かべるのは、死体を寄せ集めて作られた継ぎ接ぎだらけの人造人間。もはやキャラクター化すらされるモンスターの一人。ご存じの方も多いとは思うが重要なので指摘しておくと、フランケンシュタインはその怪物を生み出した科学者の名前である。ヴィクター・フランケンシュタイン。メアリー・シェリーが最初は匿名で発表したゴシック小説『フランケンシュタイン』は、書簡の形式をとる。「永遠の輝きを放つ」北極を探検中のウォルトンが母国に残した姉に向けて書いた手紙から始まる。探検の途中、ウォルトンは「大きな男」を目にし、その後、死にかけたフランケンシュタインを助ける。やがてフランケンシュタインから「大きな男」の正体と、自分がそれを追いかけている理由を聞かされる。フランケンシュタインの語りで「大きな男」「怪物」「それ」と呼ばれる存在には名前が与えられない。怪物が生まれて以来、その有名さとは裏腹に呼ぶ名前がないのであれば、その創造者の名前が怪物の名前へとずらされたことも言葉の比喩的拡張として理解できる。死者をよみがえらせるテクノロジーの発明者であるフランケンシュタインが、その創造物の名前にもなり得る事態は、おかしなことでもなんでもない。

『フランケンシュタイン』とは啓蒙主義とゴシックをその両親にもつ。啓蒙主義が産んだ科学と、科学が可能にしたが人間の制御を超えて暴走するテクノロジーを描いている。暴走するテクノロジーは、以来、SFでは頻繁に扱われるテーマの一つで、たとえば原子爆弾や細菌・ウィルスなどの兵器、遺伝子改良した生物、人工知能やロボットなどが暴走し、人間の制御から離れる。

啓蒙主義とは人間理性の光で闇を照らし「蒙を啓く」ことを目的とする。ウォルトンが白夜の光に包まれる北極を探検するところから始まる物語に、光の存在は象徴的な意味をもたらす。十五歳のフランケンシュタインは落雷に自然の神秘を感じ、インゴルシュタットの大学で出会った教授からは雷を意のままにできる科学の力のことを聞く。太陽、灯り、雷。いずれも自然現象だが、科学者を触発し、やがては人間が科学によって飼い慣らしていくものだ。原理が突き止められ容易に使えるようになれば、それはテクノロジーとして社会に実装される。

『フランケンシュタイン』の副題は「あるいは現代のプロメテウス」であり、プロメテウスとは天界から火を盗んだギリシャ神話の神だ。《マトリックス》で「制御とは止めることだ」とザイオンの評議員の一人が言うように、テクノロジーを止めることができないとき、人間はその制御を失っている。フランケンシュタインは、自らが生み出した怪物のあまりのおぞましさに完成した「それ」を実験室に放置してしまう。

十一月のあるものさびしい夜に、私は、自分の労作の完成をみた。［…］冷えかけた薄暗い光で、その造られたものの鈍い黄いろの眼が開くのが見えた。それは荒々しく呼吸し、手足をひきつるように動かした。この大激変に接した時の私の感動をどうして書き記すことができよう。あれほど心血を注ぐような努力をして造ったもののことを、どうして詳しく書けるだろう。ただ、手足はつりあいがとれ、顔つきは美しいものを選んでおいたのだ。［…］それができあがった今となっては、夢の美しさは消えてなくなり、息もつけない恐怖と嫌悪で胸がいっぱいになった。自分が創造したものの姿を見るに堪えず、私は部屋から跳び出し、心をおちつけて眠ることができないので、寝室のなかを長いあいだ歩きまわった。（5章）

友人クレルヴァルと再会し、気持ちを落ち着けてから二人で部屋に戻ると、すでに怪物はいなくなっていた。「これほど大きなしあわせが私をみまってくれたとは、なかなか信じられなかった」とフランケンシュタインは、テクノロジーの暴走に恐怖するどころか安堵する。それから彼の人生に怪物の影がちらつき始め、ようやく自分が引き起こした事態の大きさに気がつく。弟ウィリアムと親友クレルヴァル、それに妻エリザベートを怪物に殺され、この世に一人ぼっちの怪物によってフランケンシュタインも天涯孤独の身となる。

この「自走するテクノロジー」をSFの本質に見出す論者は『フランケンシュタイン』をSFの嚆矢とする。一貫してポストヒューマンを軸としてSFを論じる本書が『フランケンシュタイン』をSFの祖とするのは、テクノロジーの暴走以上に、フランケンシュタイン（の怪物）のポストヒューマン性を根拠にしている。では、怪物のどこかポストヒューマンなのか。

死体から継ぎ接ぎされ、無生物に命が与えられた怪物は、人間以上の存在である。食べ物は木の実などで十分で身体能力も高い。寒さ暑さへの耐性もあり、そもそも体も大きい。ウォルトンが発見したときには、フランケンシュタインが怪物を追いかけているところであったが、格闘すれば怪物はフランケンシュタインに勝つことは容易だ。怪物はフランケンシュタインに自らを追いかけさせていた節がある。ともかく怪物は人間以上の存在である。このポストヒューマンの困難は、個体数が一という孤独な種族であり、子孫はおろか伴侶もおらず再生産の見込みがないことだ。

唯一、怪物が信じた可能性が造物主たるフランケンシュタインに頼み自ら異性の伴侶を作ってもらうことだった。「わたしは、ひとりぼっちで、みじめなのだ。人間はつきあってくれないけれども、わたしと同じような、畸形の怖ろしい者なら、わたしを斥けはしないでしょう。わたしのこの相棒は、同じ種族で、しかも同じ欠点をもっていなくてはいけない。そういうものを造ってもらわなくてはいけないね。」（16章）このように切に訴える怪物に、一度、フランケンシュタインは合理性を感じ途中まで「怪物の妻」を造る。しかし正気を取り戻し、造りかけのもう一人の怪物を破棄する。怪物に妻が造られたとして、二人は再生産できるのであろうか。再生産が目的ではなく理解してくれる伴侶が欲しいというのが怪物の希望であった。しかし、もしフランケンシュタインが二人目の怪物を造ったとして、この二人は本当にフランケンシュタインとの約束を守るのであろうか。あるいは怪物が期待する通り、女の怪物は男の怪物と一緒になりたいと本当に思うのだろうか。自分の約束が守られない可能性、造っている二人目の怪物とは何の約束もしていない事実にフランケンシュタインは思い至り、作業を中止する。約束が反故にされたことに激怒した怪物は、フランケンシュタインに同じ苦しみを与えようと結婚したばかりのエリザベートを殺す。復讐心に燃えるフランケンシュタインが、今度は怪物を追跡し北極まで追い詰める。

フランケンシュタインの怪物が「継ぎ接ぎ」であるというとき、彼が人間のみならず動物も含まれる死体のパーツを組み合わせて造られたことを意味している。フランケンシュタインは材料が「解剖室や屠殺場からどっさり手に入った」と述べている。人間と動物、バラバラのパーツを継ぎ接ぎして造られた怪物。しかし、継ぎ接ぎは彼の体だけを意味しない。人間のもつ啓蒙主義的な理念と本能的な感情の継ぎ接ぎでもある。いうなれば、人間意識を構成するモジュール（伊藤計劃）の競合状態が継ぎ接ぎの身体として表現されたのが怪物だ。だから彼の体の継ぎ接ぎは身体的な切断／結合を意味するだけではなく、精神的な切断／結合をも意味している。では、その啓蒙主義的な理念と本能的な感情とは何か、少し説明しよう。

啓蒙主義は人間理性の力を信じる。人間の言葉がわからない怪物は、とある村で暮らす一家の様子を観察することで言語を習得する。言語のみならず、文化や歴史、さらには拾った本から文学の教養も得る。人間の精神は「空白の石板」として始まり適切なインプットさえあれば道徳的になれるという経験主義の実践である。しかし怪物は、その驚異的な学習能力や知性にもかかわらず理解者を得ることはできなかった。死にそうな人を助けても感謝されるどころか恐怖される。観察していた一家の目が見えない老親に自分のことを理解してもらおうと近づくも、帰宅した家人に見つかり「人間わざとおもえない力で引き離し、怒りにまかせてわたしを地面にたたきつけ、棒でわたしを烈しく殴りつけ」、反撃し殺すこともできたが、怪物は「ひどい病気にかかったみたいで心がめいっ」て思いとどまり、家を飛び出す。子供であれば偏見にまみれず自分の本質を理解してくれるだろうと近づくが、その子供ですら自分の醜い容貌に恐怖し「放してよ、怪物！　悪者！　僕を食べたいんだろう、ずたずたに引き裂きたいんだろう」と叫び声をあげる。「それ」は怪物と言われるように、非常に醜悪な姿をしている。製造過程では「美しいもの」を集めて造ったつもりが、いざ出来上がった「それ」はあまりにもおぞましい。だとしても怪物の扱われ方は、あまりにも理不尽ではないだろうか。私たちはこう考えてしまう。もしフランケンシュタインが「それ」を怪物ではなく、人間そっくりに、人間としての美しさを備えたものとして完成させていたら、かような悲劇は起こらなかったのではないか、と。

怪物の「醜さ」はどこに由来するのか。材料であろうか。死体から造ったものは怪物にならざるを得ないのか。この物語における美醜は生得的である。知性を使い学習できる怪物は、人間が生得的にもつ美醜の感覚的判断によって、継ぎ接ぎの身体に秘められた知性との対話が始まる前に、存在そのものを拒絶される。これは啓蒙主義的な発想とは対局にある。どんなに良いインプットを与え善に導こうとも、生得的に与えられた容姿が見るものを恐怖させるのであれば対話すら始められない。対話がなければ、内なる善を伝えようもない。コミュニケーションの断絶に絶望した怪物はやがて、容姿を根拠に自分に貼られる悪というラベルに合わせる行動を取るようになる。「悪がおれの善になったのだ。こうなると、おれは、自分の性質を自分から進んで選んだ要素に適応させるほかはなかった」（ウォルトンの手紙――続き）生得的に悪なのではない、社会からの拒絶によって悪をなすようになったのだ。

このように怪物のもつ理性と、怪物の容姿をみて周囲の物が直感的に抱く恐怖は衝突している。理性的な対話の可能性を信じるなら容姿の美醜とは無縁であるべきだし、直感的な善悪の判断をするのであればそこには理性と学習の入り込む余地はない。フランケンシュタインの生み出した怪物は継ぎ接ぎだらけである。バラバラの死体だけではなく、バラバラになった意識の構成要素は互いに競合しあう。

モジュール化された体と心——伊藤計劃『虐殺器官』

伊藤計劃の『虐殺器官』が発表されたのが二〇〇七年。それから早十四年。いまだその衝撃は薄れていない。

伊藤計劃のもたらしたインパクトは多方面・多岐に渡るが、ここでは即物的な人間観を取り上げたい。「肉の塊」「単なる物質」として人間をとらえる視線だ。

タイトルにある虐殺器官とは、人間に生得的に備わっている虐殺を引き起こすスイッチのことだ。コミュニケーションを行う表層にあるのではなく深層にあり、虐殺の文法によってスイッチを入れることができる。脳や心臓や肺といった臓器（organ）として虐殺器官は考えられているため、スイッチも比喩的なものではなく身体的＝物理的なものとして想定される。これはチョムスキーの生成文法理論が脳に生得的に備わる言語習得器官を想定していることと似ている。生成文法では、有限のインプットから効果的に母語を身につけるために、脳にある言語習得器官のパラメーター（オンオフのスイッチ）が入り文法を獲得していくと考えられている。この器官は現物が取り出せないという意味では見つかっていないが、脳のどこかに実際にあると想定されている。虐殺器官も同様に、だ。虐殺の文法によりスイッチを入れることができれば、人は良心を容易に失い昨日までの隣人を虐殺し始める。このような人間像は人間を「肉の塊」と考える視線と不可分だ。

作中では、虐殺器官は進化の過程で人間の遺伝子に埋め込まれたと言われる。食料確保のため、人減らしの虐殺を行えるほうが集団としての生存に有利であったというのだ。虐殺の文法を見つけたジョン・ポールは、先進国におけるテロを減らすために、社会が安定し始めた発展途上国へと足を運んでは政府中枢に入り込み、虐殺の文法を撒き散らす。主人公の語り手・クラヴィスは軍人で、最初はジョン・ポールの暗殺任務を、後半は追跡のミッションに従事する。紛争、もっといえば虐殺の現場にいつもいるジョン・ポールという謎の男の暗殺／追跡を通じ徐々に真相に近づいていく。

クラヴィスは、非常に思索的で抑制的な語りをする。交通事故で意識を失った母親の延命治療を止めた決断を「自分は母を殺した」と考え、他方、任務で女子供含めて「無慈悲に」殺し続けることは、仕事であり自らの決断ではなく感情からも倫理からも切断している。一方に責任を感じ、他方で責任を感じない。クラヴィスは「人殺し」としての自分をどう位置づけるのかずっと悩む。ジョン・ポールの関係者で監視対象となり、情報収集のために接触したルツィアとのやりとりも、彼女自身からも指摘されているが「文学部」的である。「肉の塊」としての人間像と対比されるように、クラヴィスは思弁的である。ただ、彼の苦難の源泉は、テクノロジーにより生死の境界が揺らぐことによる。生死の揺らぎのひとつは母の延命治療であるが、もうひとつ戦場で感じる（あるいは感じない）ものがある。

クラヴィスたちは最新兵器を与えられるだけではなく、心身にさまざまな調整を受け、徹底的なテクノロジーと国家によるケアの対象となる。戦争における自軍兵士の命は、紛争地域で駆り出される子供兵の命とは対照的に、非常に「高価なもの」とされる。クラヴィスたちは、痛覚マスキングを受け「痛いことを知ることはできても、痛いと感じることができない」体になる。もちろん効果的な戦闘のためだ。また、子供兵をちゅうちょなく殺すために「倫理的ノイズ」を取り除く「戦闘適応感情調整」を受ける。ミッション前と後のカウンセリングもついてくる。痛覚マスキングを受けた兵士同士の戦闘も発生し、それはさながらゾンビ同士の殺し合いの様相を見せ悲惨このうえない。本来は感じるであろう葛藤や罪悪感は、国家の命令という責任の外在化と痛覚マスキング、倫理的ブロッキングにより曖昧になる。母の死と、自分が戦場でもたらした数百の死。単純に比べられないのは確かだが、それにしても同列に考えようとしない。国家とテクノロジーにより、兵士クラヴィスの主体は限りなく空洞になっている。これがクラヴィスが体験するもう一つの生死のゆらぎだ。

自由意志や良心は、それ自体で機能するユニットである脳のモジュールの競合状態と定義される。兵士たちが子供兵を殺すことに躊躇いを覚えないように感情に調整を加えられることも、虐殺の文法によって虐殺のスイッチが入ることも、モジュールへの物理的な介入により実現される。自由意志や意識は存在するが、ハードウェアを操るものというよりも、ハードウェアの行動に付随して生じる現象と位置づけられる。ドーキンスなら「遺伝子の専制」と呼ぶ遺伝子のくびきから、私たちはどう逃れるのか、そもそも逃れられるのかと登場人物たちは問答する。クラヴィスの仲間の兵士ウィリアムズも示唆に富む見解を述べる。この遺伝子vs自由意志は、タイムパラドックスや運命論という形でSFで描かれてきた。認知科学や脳神経科学の発達に伴い、グレッグ・イーガンの諸作品でも科学的決定論vs自由意志の対立は確認できた（四章）。競合するモジュールへの介入という発想は、とりもなおさず「肉の塊」としての人間像に基づいているし、『フランケンシュタイン』の議論に接続するのであれば、科学的決定論vs自由意志は生得的善悪vs啓蒙主義的理性へと読み替えられる。

クラヴィスたち『虐殺器官』の最新鋭の兵士は、もっている武器・装置が最新鋭であるだけではなく、彼らそのものが最新鋭にチューンアップ（マスキング／調整）されている。身体こそバラバラにちぎれてはいないが、感覚は分断され一部をマスキングされ、あるいは倫理的な判断をするモジュールは調整されている。この姿は、限りなくフランケンシュタインの怪物に近い。

さらに継ぎ接ぎされたＩＤすら登場する。テロ対策のためにあらゆる個人情報が吸い上げられ、いたるところで個人認証が求められる社会で、ジョン・ポールはどうやって「透明人間」のように存在の痕跡を消せたのか。クラヴィスやウィリアムズはたびたび疑問に思う。ジョン・ポールは〈計数されざる者たち〉という個人情報・認証反対派の活動家の協力を得ていた。彼らは死人の個人情報を寄せ集め、自らの身体情報をパーツごとに置き換える。いわばＩＤのフランケンシュタイン（の怪物）だ。

〈計数されざる者たち〉は、移動も買い物も食事もありとあらゆる行動が追跡される世界へのアンチテーゼとして、フィジカルな紙幣を使い、街中にある個人認証カメラを避けるルートを考え、インフォテック（情報セキュリティ会社）の外側へ出ようとする。この発想は、情報が実体的な価値をもつようになった社会において、実体はそのままに情報を継ぎ接ぎすることで身分を偽ることを可能にしている（*1）。

『虐殺器官』のクラヴィスたちは継ぎ接ぎだらけのポストヒューマンである。テクノロジーによる身体強化、痛覚マスキング、感情調整のみならず、死者から集めた身体のＩＤ情報を使い、物理的にも情報的にも、バラバラな人間となる。このポストヒューマンたちのその後はつづく『ハーモニー』で描かれる。

統一化された心のモジュール――伊藤計劃『ハーモニー』

『ハーモニー』（二〇〇八年）ははっきりとは書かれていないが、『虐殺器官』後の世界を舞台にしている。人類を襲った大災禍〈ザ・メイルストロム〉。人々は突如、殺し合い、先進国から流出した核弾頭はいくつかの場所で使用され、巨大なクレーターを作った。そこから遺伝子変異した新しい感染症が人類を襲い人類文明は方向転換を迫られる。人々の身体とその健康こそがプライオリティである、と。生府〈ヴァイガメント〉が作られ、人々の体には恒常的体内監視システムWatchMeがインストールされる。人々は自らの身体を、自分以外のすべてに人質として差し出した。今や公共財である身体に対して、自分の物であるからといって害を与えることは誰にもできない。

そんな中、突如六千人の人が謎の自殺を図る。親友が目の前で自殺するのを目撃した霧慧トァンは、子供の頃、一緒に自殺を試み成功＝死んでしまった御冷ミァハの影を集団自殺事件の背後に見る。WHOの螺旋監察官事務局員であるトァンは、単独で事件の捜査に乗り出す。

トァンの父ヌァザ、その同僚・冴紀ケイタ、そして最後に再会するミァハ。出会う人たちは人間の意識について語る。人間の意志は競合する欲求のモジュールで表現される。欲求は報酬系と結びついている。しかし、人間が進化の過程で獲得した報酬評価のメカニズムはゆがんでいる。目の前の喫緊の報酬を快も不快も高く評価する傾向がある。決して理性的でも合理的でもない。意識は、あくまで身体が生存するために利用してきたソフトウェアでしかない。人間の外部環境が十分に成熟したシステムであれば、意識的な決断は不要だし、意識を消失しても「ぼんやりとした幸福」に包まれながらいままで通りの生活をおくれる。

進化は継ぎ接ぎだ。

ある状況下において必要だった形質も、喉元過ぎれば不要になる。その場その場で必要になった遺伝子の集合。人間のゲノムは場当たりの継ぎ接ぎで出来ている。進化なんて前向きな語は間違ったイメージを人々に与えやすい。人間は、いやすべての生き物は膨大なその場しのぎの集合体なのだ。

だとしたら。我々人類が獲得した意識なるこの奇妙な形質を、とりたてて有り難がり、神棚に祀る必要がどこにあろう。倫理は、神聖さは、すべて状況への適応として脳が獲得したに過ぎない継ぎ接ぎの一部だ。悲しみも、喜びも、すべて「ある環境で」においてのみ、生きるために必要だったから、生存に寄与したから存在しているだけだ。（三一六）

『虐殺器官』のその後の世界に位置づけられる『ハーモニー』は、『虐殺器官』が描いたポストヒューマン像、体内や精神においてバラバラ＝モジュール化されている人間から物語を始めている。しかしそれをポストヒューマンと捉えるのではなく、人間のデフォルト、ありのままの姿だとする。そのうえで、ミァハが画策したのはハーモニー・プログラムを作動させることだ。ハーモニー・プログラムが作動すれば、人間の意識、進化の過程で得た形質で今や時代遅れになりつつあるソフトウェアは、安定した外部環境に取って代わられる。身体は意識のデッドメディアとなる。ひょっとしたらトァンが言ったように、身体が生存し続けるために利用した入れ物が魂であり、魂のほうがデッドメディアになるのかもしれない。いずれにせよ、『ハーモニー』という物語それ自体には、etmlという「文中タグに従って様々な感情のテクスチャを生起させたり、テクスト各所のメタ的な機能を「実感」しながら読み進むことが可能」(三四九)になるメタ言語も使われている。これは「生存上、喜怒哀楽が要求される局面は、人類が完全に社会化された現在においてはあまりにり少ない」(二五〇)ためだ。初期読む者の感情を誘発するメタ言語の使用は、小松左京『日本アパッチ族』の追記を連想させる。アパッチの手記という体の本文を指して、「多くの人間的弱さ、人間的感情の罠にみちている」と注意があることは、すでに指摘した(第三章)。

ミァハが意図したとおりに起動されたハーモニー・プログラムがもたらす調和の世界は、感情を必要とせず意識は消滅し「人間が社会化」される。人と人とが関わりあう社会的な生活をするという意味での社会化ではなく、自分の外部環境に意識というソフトウェアを外在化するという意味での社会化だ。そのようなハーモニクスに達した人類はポストヒューマンだと言える。現在の私たちから断絶し、メタ言語を使用しなければテクストの理解もできないような〈ポストヒューマンのパラドックス〉を抱えた存在である。大事なのは『虐殺器官』で描かれたポストヒューマンが、『ハーモニー』ではヒューマンとされ、モジュール化された身体／精神を統一するハーモニー・プログラムが登場したことだ。『虐殺器官』『ハーモニー』はコインの裏表のようにモジュール化／統合を行う。この二作品を並列することで〈ポストヒューマンのパラドックス〉に対する伊藤計劃の野心的挑戦が見えてくる。『フランケンシュタイン』でフランケンシュタインは、死体を継ぎ接ぎして怪物を造った。継ぎ接ぎだらけの怪物を生み出すことでフランケンシュタインは、感情と理性が対立していること、私たち人間の精神も怪物の身体同様に継ぎ接ぎ＝モジュールであることを示した。フランケンシュタインとその怪物というように両者は分裂した存在でありながら、しかしまったく同時に、フランケンシュタインという科学者であり怪物でもある。フランケンシュタインという名前自体が分裂し継ぎ接ぎされた意味を帯びる。言語学的に被造物に造物主の名前が当てられることはあるが、フランケンシュタインの場合、言語学以上の含意がある。フランケンシュタインが怪物から逃げながらも、どこかで捕まえられることを期待し、怪物はフランケンシュタインを殺そうと追い詰めながら死んでしまったことを誰よりも悲しむ。フランケンシュタインと怪物は物語的に不可分であり、さらには象徴的な意味の次元においても不可分だ。

私はここまで何気なくフランケンシュタインを「科学者」と呼び、彼が開発した継ぎ接ぎされた死者を蘇らせる技術をテクノロジー（科学技術）と呼んできた。しかし科学者（scientist）と科学技術（technology）という言葉は、歴史的な産物であり、二十一世紀的な意味で『フランケンシュタイン』にあてはめるのは間違いである。少し科学者と科学技術の歴史を紐解いてみよう。

古川安『科学の社会史』（二〇一八年）によれば、科学者（scientist）という語はウィリアム・ヒューエルという科学史家によって造られたものだ。本来ならばsciencistと派生させるべきところをartistを意識してscientistという語をヒューエルが造ったのは一八三四年のことだ。メアリー・シェリーが

『フランケンシュタイン』を著したのは一八一八年。したがって『フランケンシュタイン』というテクストには科学者（scientist）という語は登場していない。科学（science）という語は二十数回用いられ、そのうち、「科学の人」（a man of science, men of science）という表現で（scientist 以前の）科学者を指している。フランケンシュタインはマッドサイエンティストの原型ともされるが、厳密に考えるならば、彼をしてマッドサイエンティストと呼ぶことはできない。なぜなら彼はサイエンティストではありえなかったからだ。ヒューエルが科学者という語を造り出した背景には、それまでは「科学の人」や自然哲学者と呼称されていた科学者たちが取り組む科学が巨大化かつ微小化していたからだ。「数学者」「化学者」「物理学者」「博物学者」と大学の専門課程を修了した専門化された職業人を呼称する単語が次々に登場し、彼らを総称するより一般的な概念＝呼称を必要としたのだ。それが科学者であった。

科学者たちは専門化されると同時に、世俗化もしていった。自然哲学者は、自然を第二の聖書とみなし、自然を研究することで神の偉業を理解できないかと考えていた。それまでの自然哲学者たちにとって、キリスト教の信仰心と自然を探究する精神は対立するものではなかった。地動説を唱えて時の教会権力と対立したガリレオ・ガリレイですらその例外ではない。

十七世紀後半からの啓蒙主義を背景に、十九世紀についに科学者という概念は誕生した。啓蒙主義は科学の世俗化に一役買い、それまでの自然哲学者たちが究極的な目標として掲げていた神を放逐、神の座に有用性を据えたのだ。神に近づけるから良いのではなく人々に役立つから良いと、科学探究への動機づけが転換した瞬間である。この科学の世俗化と連動しながら、科学技術（technology）が台頭してくる。

テクノロジーの語源であるギリシャ語のテクネーはそもそも「奴隷の手仕事」を意味する。それはギルドで発展・伝達・保持されてきた技術につながり、他方、教会・大学で蓄積される知（スコラ哲学）とは別のものとされてきた。今日の私たちは「科学技術」というように科学と技術を並列させるが、そのような並列が可能になったのは近代以降のことだ。科学者の登場、科学の世俗化と共鳴するように、テクネー（技術）は科学（哲学）と徐々に融合していく。たとえば産業革命をもたらした蒸気機関は技術者ワットの手による発明であり、科学者が考えたものではない。科学者が自身の手にテクネーを取り戻すにはまだ時間が必要であった。蒸気機関をtechnologyと呼ぶことにはためらわないが「科学技術」と訳語をあてるには躊躇してしまう。

このような科学者と科学技術という語の歴史が明かにするのは、テクノロジー概念が哲学（科学）とテクネー（技術）の継ぎ接ぎだということだ。人間の継ぎ接ぎを可能にするテクノロジーそれ自体がすでに継ぎ接ぎなのだ。ハーモニー・プログラムが進化の継ぎ接ぎを統合するアップデートだとして、そのプログラムが継ぎ接ぎによって生まれたテクノロジーの産物であるならば、人類の継ぎ接ぎをパッチできるのだろうか。

本書は、現代ＳＦの起源を『フランケンシュタイン』に求める。それは『フランケンシュタイン』に人間の制御から逃れた自走するテクノロジーが登場しているからというだけではない。その暴走したテクノロジーである怪物「それ」は、フランケンシュタインと物語的／象徴的に一体化し、不可分なものとなる。『フランケンシュタイン』はテクノロジーの暴走、テクノロジーが人間から疎外される様を描くだけではない。古代ギリシャ以来、疎外されたテクネーが啓蒙主義と科学の世俗化を経てテクノロジーとして回帰し、人間を改変する。『フランケンシュタイン』は人間とテクノロジーの融合を通じてポストヒューマンを生み出す物語でもある。ＳＦの本質を人間vsテクノロジーではなく〈人間〉と〈人間＋テクノロジー〉の関係、すなわちヒューマンとポストヒューマンの関係に見出す本書は『フランケンシュタイン』と伊藤計劃を継ぎ接ぎすることで終わりにしたい。

【註】

（※１）ＩＤ情報の継ぎ接ぎにより監視カメラ網をすり抜ける存在は、のちにアニメ『ＰＳＹＣＯ‐ＰＡＳＳ』（本広克之監督）第二期の鹿矛囲桐斗に引き継がれている。

主要参考文献

東浩紀『サイバースペースはなぜそう呼ばれるか+』（河出書房新社、二〇一一年）
新井素子『チグリスとユーフラテス』（集英社、一九九九年）
グレッグ・イーガン「祈りの海」『祈りの海』所収（山岸真訳、早川書房、二〇〇〇年）
グレッグ・イーガン『宇宙消失』（山岸真訳、東京創元社、一九九九年）
グレッグ・イーガン「しあわせの理由」『しあわせの理由』所収（山岸真訳、早川書房、二〇〇三年）
グレッグ・イーガン『順列都市』（山岸真訳、早川書房、一九九九年）
グレッグ・イーガン「無限大から逆に数えて」『SFマガジン』一九九九年一一月号所収（早川書房、一九九九年）
伊藤計劃『虐殺器官』（早川書房、二〇〇七年）
伊藤計劃『ハーモニー』（早川書房、二〇〇八年）
岩明均『寄生獣』（講談社・KCDX版、二〇〇三年）
岩明均『七夕の国』（小学館・文庫版、二〇一一―二〇一二年）
江川紹子『「カルト」はすぐ隣に』（岩波書店、二〇一九年）
大友克洋『AKIRA』（講談社・KCDX版、一九八四年―一九九三年）
小川哲『ユートロニカのこちら側』（早川書房、二〇一五年）

岡和田晃「「伊藤計劃以後」と「継承」の問題——宮内悠介『ヨハネスブルグの天使たち』を中心に」限界研編『ポストヒューマニティーズ　伊藤計劃以後のＳＦ』所収
マーク・オコネル『トランスヒューマニズム：人間強化の欲望から不死の夢まで』（松浦俊輔訳、作品社、二〇一八年）
小野美由紀『ピュア』（早川書房、二〇二〇年）
ウィリアム・ギブスン「冬のマーケット」『クローム襲撃』所収（浅倉久志訳、早川書房、一九八七年）
草野原々『最後にして最初のアイドル』（早川書房、二〇一六年）
久保明教『機械カニバリズム』（講談社、二〇一八年）
窪美澄『アカガミ』（河出書房新社、二〇一六年）
倉田タカシ『母になる、石の礫で』（早川書房、二〇一五年）
限界研編『ポストヒューマニティーズ　伊藤計劃以後のＳＦ』（南雲堂、二〇一三年）
小谷真理『エイリアン・ベッドフェロウズ』（松柏社、二〇〇四年）
小松左京『日本アパッチ族』（角川書店、一九六四年）
三方行成『トランスヒューマンガンマ線バースト童話集』（早川書房、二〇一八年）
メアリー・シェリー『フランケンシュタイン』（宍戸儀一訳、青空文庫、二〇〇九年）
杉田俊介・齋藤環（対談）「境界線に生きる者たち」『ユリイカ二〇一五年一月臨時増刊号　総特集◎岩明均』所収
巽孝之 *Full Metal Apache: Transactions between Cyberpunk Japan and Avant-Pop America*（デューク大学出版、二〇〇六年）
田中兆子『徴産制』（新潮社、二〇一八年）

ジェイムズ・ティプトリー・ジュニア『老いたる霊長類の星への賛歌』(伊藤典夫ほか訳、早川書房、一九八九年)
ジェイムズ・ティプトリー・ジュニア『輝くもの天より墜ち』(浅倉久志訳、早川書房、二〇〇七年)
ジェイムズ・ティプトリー・ジュニア「接続された女」『愛はさだめ、さだめは死』所収(浅倉久志訳、早川書房、一九八七年)
ジェイムズ・ティプトリー・ジュニア『たったひとつの冴えたやりかた』(浅倉久志訳、早川書房、一九八七年)
ジェイムズ・ティプトリー・ジュニア「ヒューストン、ヒューストン、聞こえるか?」『老いたる霊長類の星への賛歌』所収
ジェイムズ・ティプトリー・ジュニア「ラセンウジバエ解決法」『星ぼしの荒野から』所収(伊藤典夫ほか訳、早川書房、一九九九年)
土井隆義『キャラ化する/される子どもたち——排除型社会における新たな人間像』(岩波書店、二〇〇九年)
都留泰作「科学意識のエンタテイナー『七夕の国』について」『ユリイカ二〇一五年一月臨時増刊号　総特集◎岩明均』所収
原克『身体補完計画——すべてはサイボーグになる』(青土社、二〇一〇年)
ダナ・ハラウェイ「ポスト近代の身体/生体のバイオポリティクス」『猿と女とサイボーグ』所収(高橋さきの訳、青土社、二〇一七年)
平井和正「サイボーグ・ブルース」『日本SF傑作選4　平井和正』所収(日下三蔵編、早川書房、二〇一八年)
メアリー・ヘイスティング・ブラッドリー『ジャングルの国のアリス』(宮坂宏美訳、未知谷、二〇〇二年)
古川安『科学の社会史』(筑摩書房、二〇一九年)
カーラ・フレチェロウ『映画でわかるカルチュラル・スタディーズ』(ポップカルチャー研究会訳、フィルムアート社、二〇〇一年)

アン・マキャフリー『歌う船』（酒匂真理子訳、東京創元社、一九八四年）
松尾由美『バルーン・タウンの殺人』（東京創元社、一九九四年）
松田青子『持続可能な魂の利用』（中央公論新社、二〇二〇年）
宮崎哲弥『いまこそ「小松左京」を読み直す』（NHK出版、二〇二〇年）
宮崎駿『風の谷のナウシカ』（徳間書店、一九八三年—一九九四年）
六冬和生『みずは無間』（早川書房、二〇一三年）
村田基『フェミニズムの帝国』（早川書房、一九八八年）
『ユリイカ一九八八年八月臨時増刊号　総特集＝大友克洋』（青土社、一九八八年）
『ユリイカ二〇一五年一月臨時増刊号　総特集◎岩明均』（青土社、二〇一四年）
ジョアンナ・ラス「変革のとき」『20世紀SF〈4〉1970年代——接続された女』所収（中村融編、河出書房新社、二〇〇一年）
梁英聖『レイシズムとは何か』（筑摩書房、二〇二〇年）
アーシュラ・K・ル・グィン『風の十二方位』（小尾芙佐ほか訳、早川書房、一九八〇年）
アーシュラ・K・ル・グィン『内海の漁師』（小尾芙佐ほか訳、早川書房、一九九七年）
アーシュラ・K・ル・グィン『闇の左手』（小尾芙佐訳、早川書房、一九七八年）
鷲津浩子『時の娘たち』（南雲堂、二〇〇五年）

初出一覧

第二章 「『寄生獣』が融合させたのは何か――SF〈として〉読む岩明均」『ユリイカ』二〇一五年一月臨時増刊号

第三章 「日本・SF・ポストヒューマン――『AKIRA』と『ナウシカ』を中心に」『三田文学』二〇一九年春季号

第四章 「グレッグ・イーガンとスパイラルダンスを――「適切な愛」「祈りの海」「しあわせの理由」に読む境界解体の快楽」『SFマガジン』二〇〇七年六月号

第八章「物語の不／可能性――チャーテン実験の失敗とティプトリーの「ファクト／フィクション」」『ユリイカ』二〇〇六年八月臨時増刊号

あとがき

初めて商業誌に評論が載ったのは二〇〇六年だった。アメリカ文学を専攻しているものの、研究対象はSF作家ジェイムズ・ティプトリー・ジュニアであった大学院修士課程在学中に、『ユリイカ』のアーシュラ・K・ル・グィン特集に寄稿した。評論家としてのデビュー原稿はだいぶ改稿の末、本書の第八章となった。次に載ったのが早川書房の日本SF評論賞に投稿して優秀賞をいただいたグレッグ・イーガン論であった。これは大学院を修了し、就職した後の二〇〇七年に『SFマガジン』に掲載された。これは本書の第四章となった。

それからかれこれ十五年「兼業」評論家をやってきた。「いつかは単著」が野望で、毎年の「新年の抱負」には記してきたのだが、なかなか形にならなかった。知人ライターから「三十までに単著がないと、どうなのかと思われる」と言われ焦ったこともあるが、気がつけばそれから十年がすぎ、私はもうすぐ四十になる。

なぜ本が書けなかったのか。モチベーションが足りないのか、時間がないのか、能力が足りないのか。うだうだ悩んでもしょうがないので、まずはいままで書いた原稿を見直し、今の自分が抱えるテーマにそって書き直してみることにした。同時に新しいインプットもしていくが、アウトプットを読書ノート（メモ）、書評（あらすじと論点整理）、評論（作品評価と理論への接続）と段階的にやってみた。とにかく動き出してみると、いくつかの気づきがあった。

まず昔からずっと関心を抱いていた精神／身体の二項対立が今の文脈ならポストヒューマンへと広げられると気がついた。ポストヒューマンという背骨を発見してからは作業は捗った。ないと思っていた時間も、テキストデータをpdfにしてクラウドにあげ隙間時間にスマホ画面で読むといったちょっとした工夫で、なんとか捻出できた。

一冊書いてみて、私は昔からずっと同じようなことを考えていることに気がついた。十五年も前のデビュー評論をかなり手こずったが本書に入れることができたのは、継続して同じ問題を考え続けている証拠でもある。その問いに、自分なりの納得できる答えを出せていない証拠でもある（これは自慢できることではないが）。私のSF原体験といっても良い『エイリアン』や『ターミネーター』といった映画を観直し一つの論にできたことは、私がSFを好きでい続けている証拠でもある。

私は誰に向けて評論を書いているのだろうか。ずっと自問している。極端な言い方かもしれないが、SFがずっと好きな自分に向けて私は評論を書いてきたし、書いている。自分が楽しめないと、人も楽しめないと思う。自分が本当に楽しくSFを論じることができれば、その楽しさは他の人にもきっと届く。単なる自己満足ではなく。でも、読者のことだけを考えるのでもなく。書いていて楽しいと思えなければ本一冊分書けない。これが三つ目の気づきだ。

本書を書くにあたり、多くの人の支えがありました。最後になりますが、感謝の気持ちを伝えたいと思います。

私の大学・大学院の指導教官であり大学SF研究会の顧問でもある巽孝之先生。ジェンダーSF研究会に呼んでいただきジェンダーSFのいろはを叩き込んでくれた小谷真理先生。お二人との出会いがなければ、本書はおろか商業誌に評論が載ることもなかったと思います。

大学SF研究会の仲間たち。とくに筑波大学の大澤博隆氏。いついかなるときも、科学関係の疑問に素早く答えてくれて助かりました。（もちろん私の論における科学についての間違いは私の責任です。）大学を一緒に過ごした人が第一線で活躍している姿は励みになります。限界研の評論家たち。一緒に作った『ポストヒューマニティーズ』の個人的続編が本書です。本書の出版を二つ返事で引き受けて下さった小鳥遊書房の編集者・高梨治氏、ブックデザイナーの久留一郎氏、カバーイラストを寄せていただいたＪＮＴＨＥＤ氏。自分の初めての本を一緒に作れて、楽しかったです。

そして家族に。「ＳＦってなあに」と聞いてきた六歳の娘にはうまく答えられず評論家としてどうかと思ったけれど、いつかこの本を読んでくれればいいなと思います。でも、読まなくてもいいです。

私が何をしても・しなくても理解してくれるのが家族のいいところだから。

二〇二一年五月

赤羽の実家で

索引

おもな人名と書名・作品名等を五十音順に示した。
作品名は作者ごとにまとめてある。

【ア行】

【カ行】

【サ行】

【タ行】

【ナ行】

【ハ行】

【著者】

海老原 豊

（えびはら　ゆたか）


1982年生まれ。

慶應義塾大学大学院文学研究科英米文学専攻修士課程修了。

ＳＦ評論家。

「グレッグ・イーガンとスパイラルダンスを：「適切な愛」「祈りの海」「しあわせの理由」に読む境界解体の快楽」で第２回日本ＳＦ評論賞優秀賞を受賞。

著書に、共編著『3・11の未来：日本・ＳＦ・創造力』（作品社）、共著『ポストヒューマニティーズ：伊藤計劃以後のＳＦ』（南雲堂）ほか。

ポストヒューマン宣言《せんげん》

SFの中《なか》の新《あたら》しい人間《にんげん》

2021年8月31日　第1刷発行

【著者】
海老原 豊

発行者：高梨 治
発行所：株式会社**小鳥遊書房**《たかなししょぼう》
〒102-0071　東京都千代田区富士見1-7-6-5F
電話03 (6265) 4910（代表）／FAX　03 (6265) 4902
http://www.tkns-shobou.co.jp

装幀　久留一郎デザイン室
印刷　モリモト印刷株式会社
製本　株式会社村上製本所

ISBN978-4-909812-64-3　C0090